テクニックと戦術で勝つ!

陸上競技 リレー

中央大学陸上競技部監督
星野晃志監修

増補改訂版

メイツ出版

CONTENTS

※本書は2018年発行の『テクニックと戦術で勝つ！陸上競技　リレー』を元に、一部内容の追加と必要な情報の確認を行い、「増補改訂版」として新たに発行したものです。

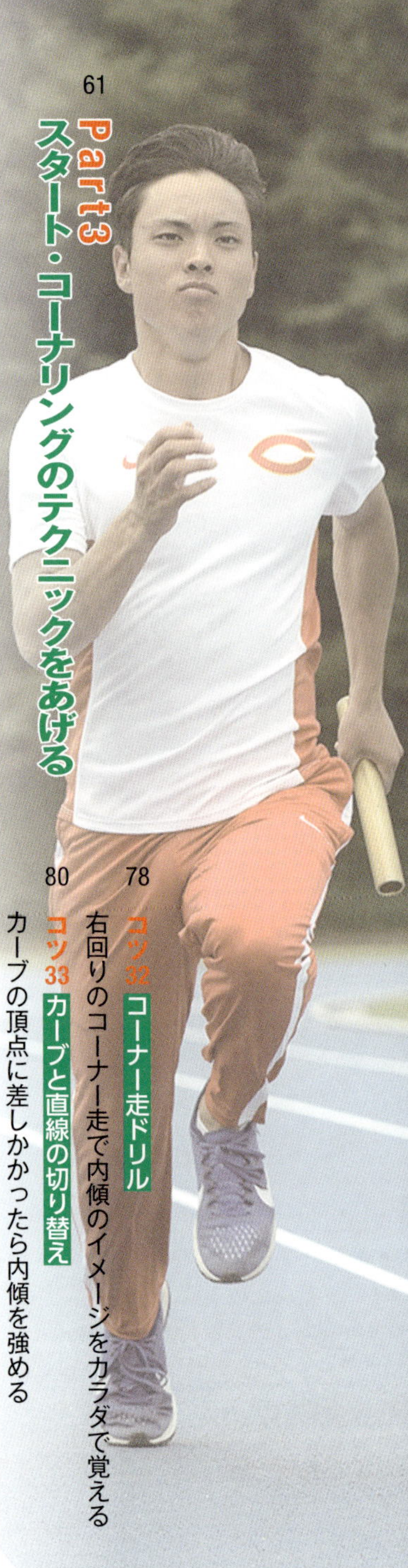

はじめに

一つのバトンをつないで勝利を勝ち取る。

夏季オリンピックの花形とも言われる陸上は、そのほとんどが個人競技です。日々の厳しい練習を経て、人間の限界に挑戦する姿は観ていて尊いものですし、多くの人の感動を呼び込みます。

そんな陸上競技のなかで、ひときわ観衆の感動と興奮を誘うのが、数少ない団体競技である「リレー」ではないでしょうか。走者一人ひとりが限界まで走りきることはもちろん、走者と走者をつなぐバトンパスの巧拙、そして走順を含めた戦術面など、リレーには他の陸上競技にはないおもしろさが多く含まれています。一つのバト

ンをつないで勝利を勝ち取るというそのプロセスも、おもしろさに拍車をかけているのかもしれません。

本書はスプリント能力を高めるための走り方の基礎から、リレーで重要な役割を担うバトンパス、そしてタイムを縮めるため、勝利をもぎとるための戦術を、どのレベルの選手が読んでも身になるように構成しています。陸上競技初心者ははじめて聞くことばかりかもしれませんし、リレー経験者でも、基礎を見直すなかで新たな発見があると思います。

本書が読者の皆様のさらなるレベルアップの一助となれば、陸上競技に携わる一員としてとてもうれしく思います。

中央大学陸上競技部監督
星野晃志

本書の使い方

本書ではリレー競技で勝てるようになるために必要な技術や戦術を細かくポイントに分けて解説しています。

…… 本書の流れ ……

Part 1 リレー種目の特徴について知る

リレーってどんな競技？ 競技の特色や、勝利のためにはどんな技術を高めれば良いのかまで。リレー競技のあれこれを解説しています

Part 2 スプリント能力を高める

リレーで勝利をつかむためには、まずは個々のスプリント能力をあげることが必須。短距離種目を速く走るテクニックを身につけましょう

Part 3 スタート技術とカービングテクニック

リレーは、走者によってスタートの方法や走り方が異なります。どの走順を任されても力を発揮できるように、それぞれのテクニックを学びましょう

Part 4 リレーの戦術を学ぶ

バトンパスの技術や、走順ごとに異なる走り方、マーカーの置き方など、勝敗に直結するテクニックを紹介。基本的なポイントを理解したらドリルでさらに技術を向上させましょう

…… ページの見方 ……

Part 1

リレーの特徴

Part 1

リレーの特徴

リレー種目の醍醐味

バトンをつないでゴールを目指すチームワークで勝つスプリント競技

走順、バトンパスさまざまな要素が絡み合う

陸上競技にはさまざまな種目がありますが、そのほとんどは個人競技であり、リレーのようにチームを組んでタイムを競う、あるいは着順を争うという種目はわずかです。2016年にブラジルのリオデジャネイロで開催された夏季オリンピックにおいて、男子4×100メートルリレーで日本チームが銀メダルを獲得したように、身体能力で劣ると言われるアジア人がなぜ、列強を相手にメダル争いを繰り広げることができたのか、そこにリレーという種目の特徴があります。

リレーのタイムは、単純に4人の走力を

足した結果とはなりません。1走であればスタート、4走であればフィニッシュといったように、1~4走にはそれぞれ特徴があり、その走順に適した選手を配置するのが、リレーの醍醐味でもあります。そして、リレーにしかない大事な要素が、走者と走者をつなぐバトンパスです。日本チームが銀メダルを獲得できた要因の一つが、このバトンパスにあることは間違いありません。

そのほかにも、チームワークや信頼関係など、精神的な要素もリレーには大きく関わっています。これらさまざまな要素が絡み合いながら、バトンをつないでゴールを目指すところが、リレーのおもしろさと言えるでしょう。

走力の合計=結果とはならない

走力の合計で劣るチームが、走力上位のチームに勝つこともあるのがリレーの醍醐味である。そこには走順やバトンパス、チームワークなどさまざまな要素が絡み合っている

バトンパスが勝負を握る

タイム短縮の大きな鍵となるのがバトンパス。スムーズでロスのないバトンパスができれば、大きくタイムを縮めることも可能になる

リレー種目の分類

リレー種目はさまざま種目ごとに戦術は変わる

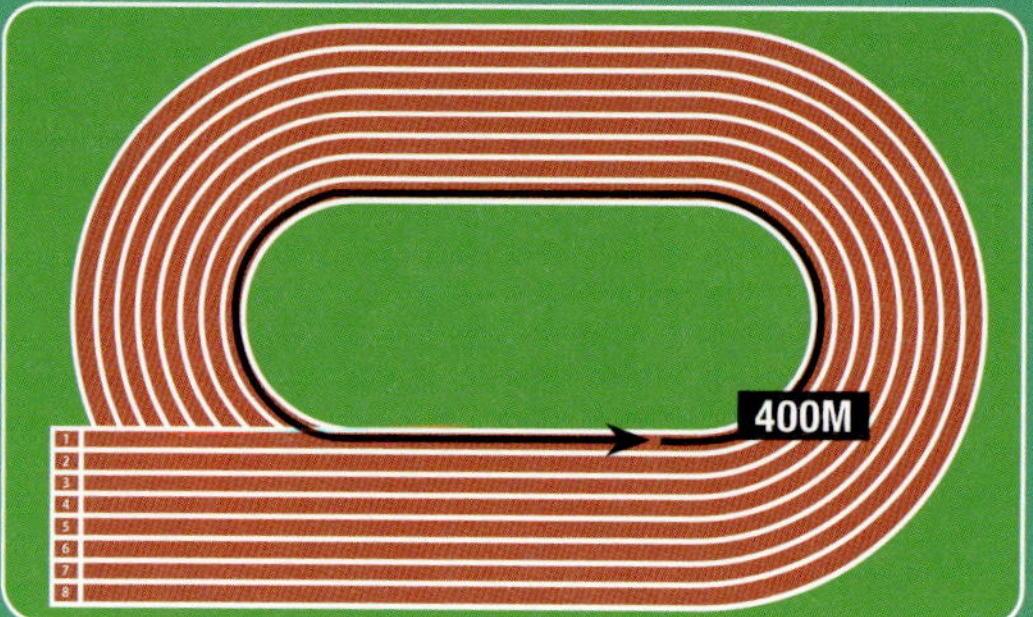

オーソドックスな4継とマイル東京五輪では男女混合種目が登場

リレーは主に走者の走る距離で種目が分類されています。

オリンピック種目として採用されているのは、4×100メートル（4継）と4×400メートル（マイル）の2種目です。大学生や高校生の大会でも、この2種目が採用されています。中学生では4×100メートルのみがリレーの種目となっています。

大きな大会はこの2種目で争われることがほとんどですが、4×200メートルや4×800メートル、第1走者から第4走者まで100メートルずつ距離が伸びていくスウェーデンリレーなども種目としては存在しています。2021年に開催された東京オリンピックでは、男女混合で行う1600メートルリレーが採用されました。

4×100メートル

それぞれの走者が100メートル前後の距離を走り、4人でトラックを1周する。通称「4継」

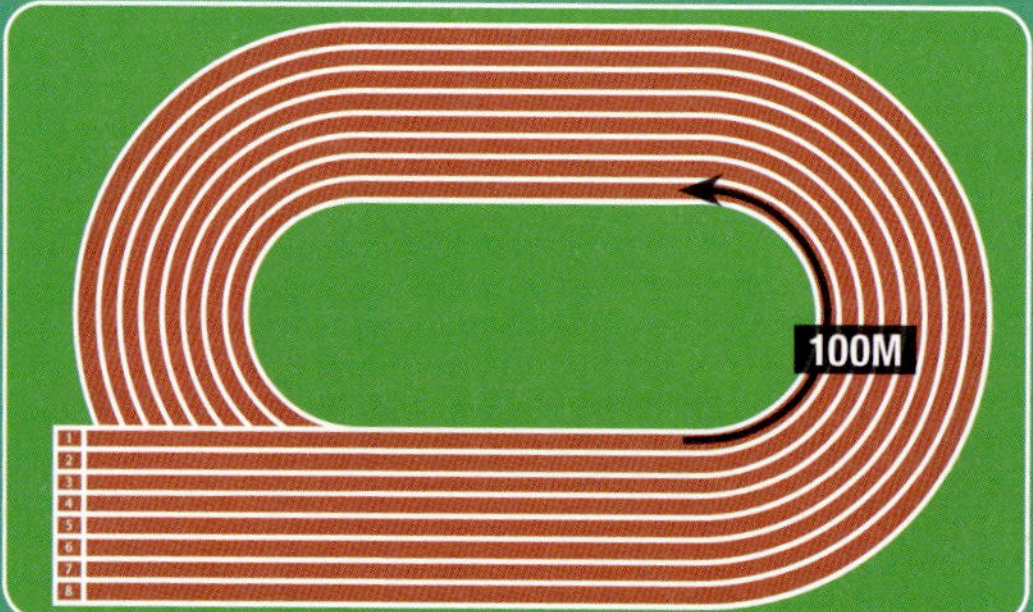

100M

1
2
3
4
5
6
7
8

4×400メートル

それぞれの走者がトラック1周を走る。2走からはオープンレーンとなる。通称「マイル」

400M

1
2
3
4
5
6
7
8

4×200メートル

それぞれの走者がトラックを半周する。第４走者からオープンレーンとなる。2002年まで、中学生の全国大会では正式種目だった

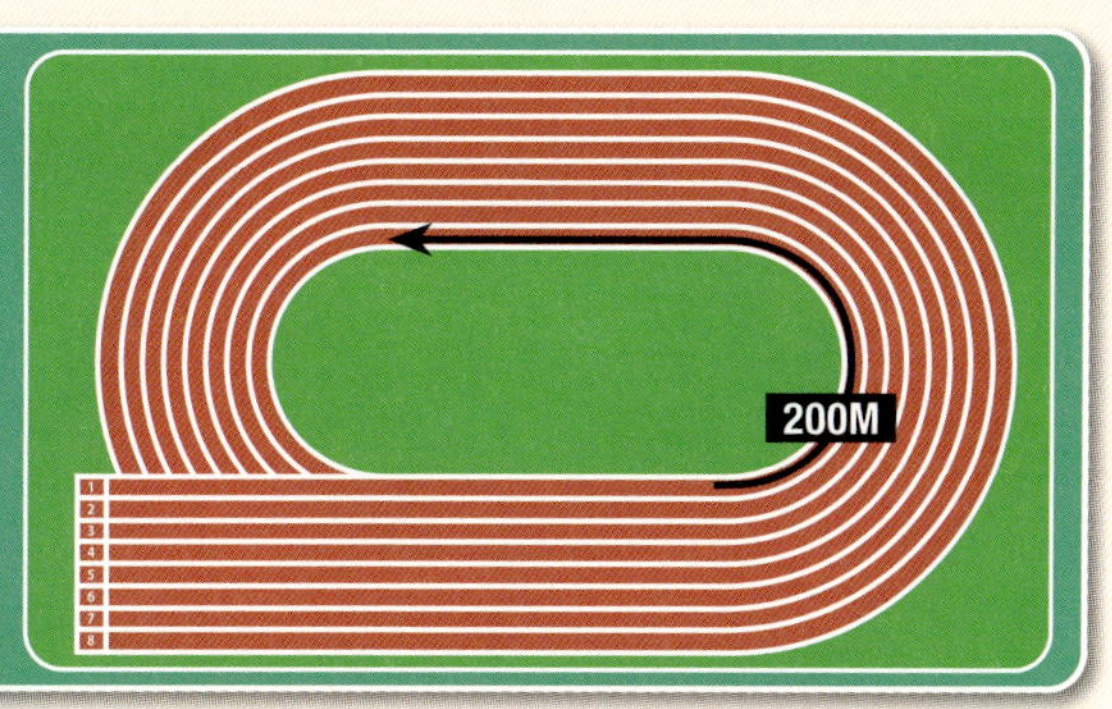

4×800メートル

それぞれの走者がトラックを２周する。第１走者からオープンレーンで走り、スタンディングスタートが採用されているなど特徴的な種目である

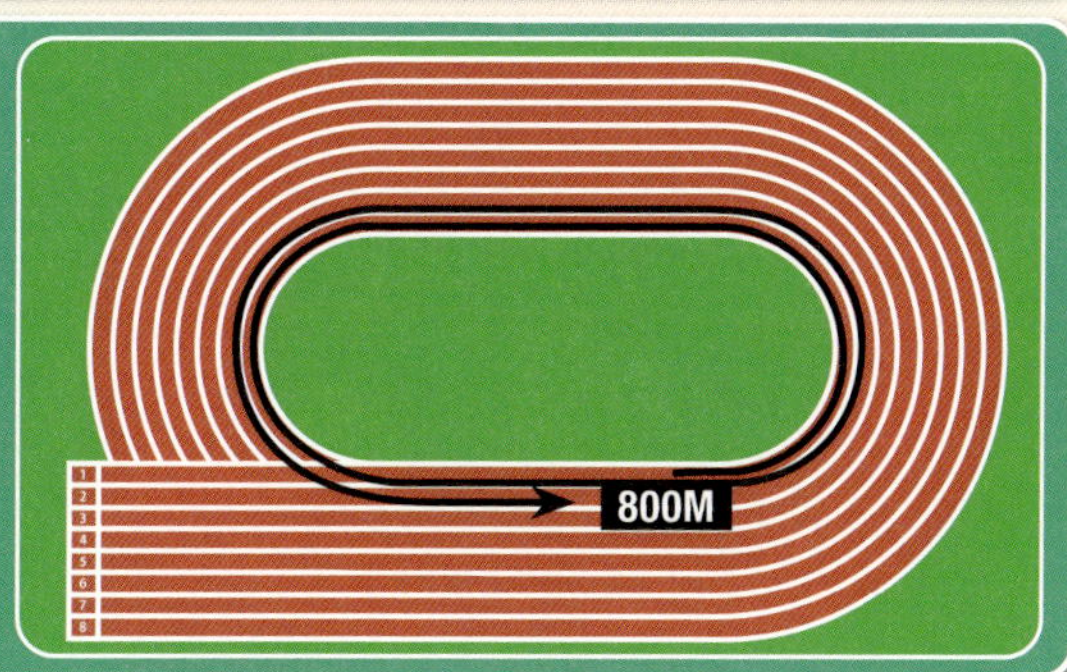

スウェーデンリレー

第１走者は100メートル、第２走者は200メートル、第３走者は300メートル、第４走者は400メートルを走る種目

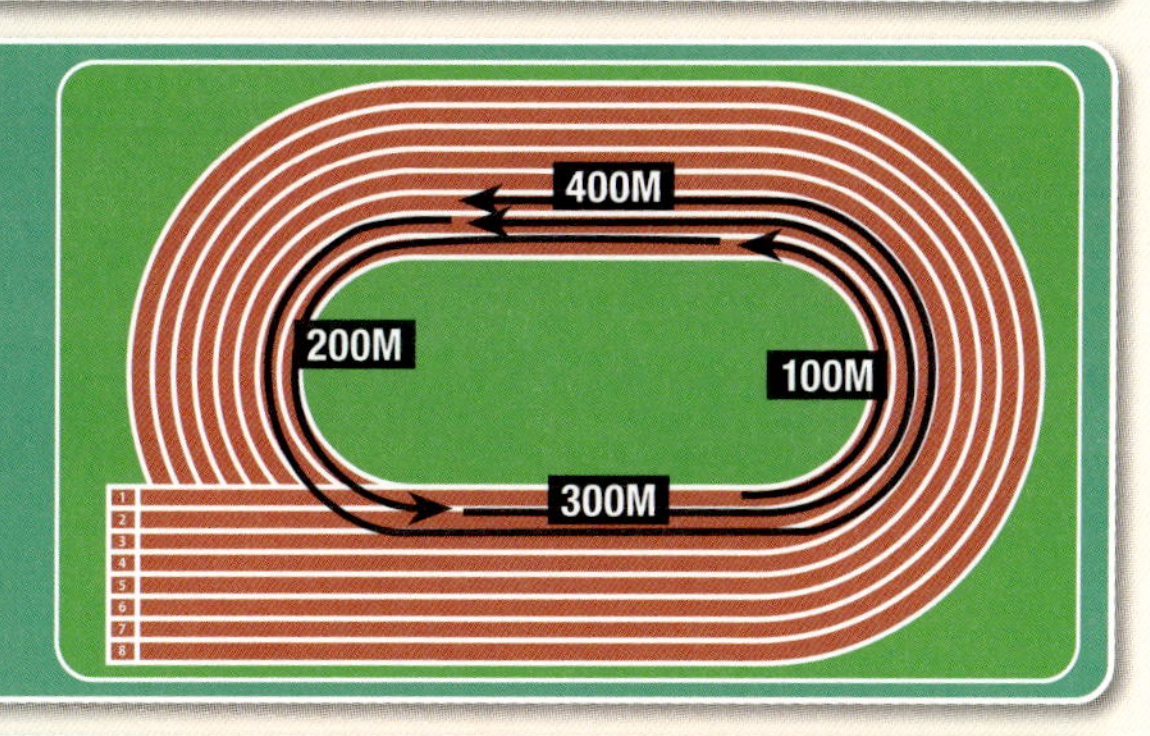

男女混合４×400メートル

2021年の東京オリンピックで正式採用された種目。男女２名ずつエントリーされ、好きな走順を選択することができる

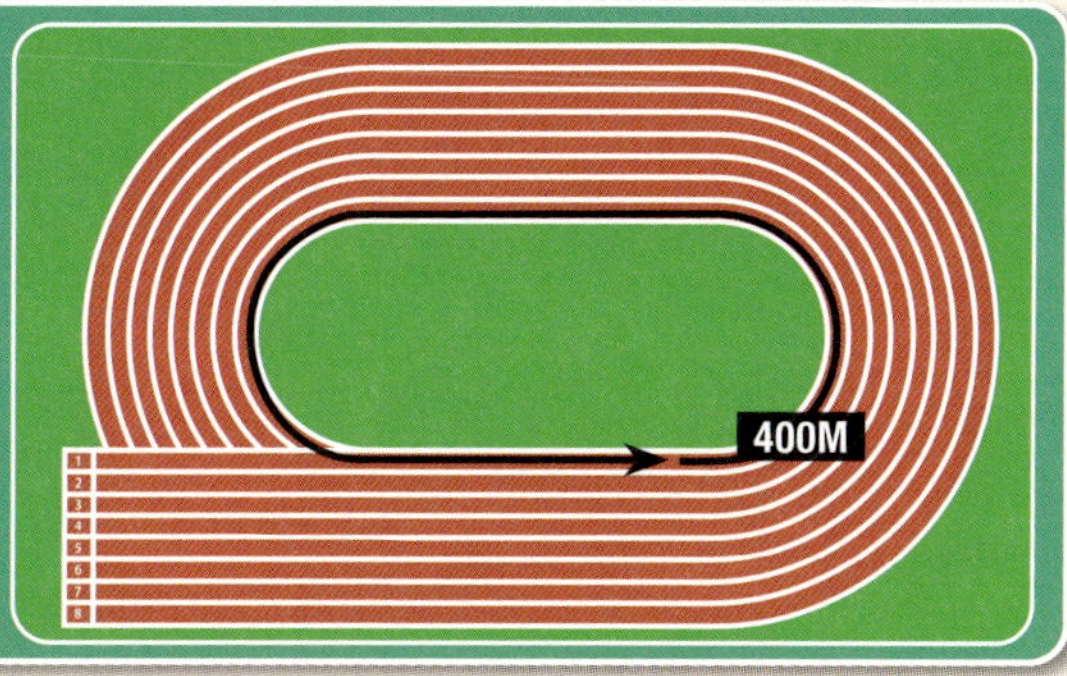

リレーで勝つために

リレー競技で勝つために大切な三つの要素

リレー種目とは

三つの要素を強化して総合的なレベルアップをはかる

さまざまな要素が絡み合うリレーでは、それら一つひとつを練習のなかで強化していかなければなりません。大きく分けて三つの要素のレベルアップをはかれば、リレー種目での勝利やタイム短縮につながっていくと思います。

では三つの要素とはなにか。それは「スプリント能力」「バトンパス」「戦術」です。リレー種目に選ばれる選手のほとんどは、100メートルや200メートルを主戦場としています。スプリント能力を高めることは、リレー選手として必須と言えるでしょう。バトンパスについては、練習すればするほどうまくなるという特長があります。100メートルのタイムを縮めることは容易ではありませんが、バトンパスが上手くなれば想像以上にタイムは縮まります。そして戦術については、適材適所の走順やチームワークなどが鍵です。

これらを練習で意識しながら取り組んでいけば、必ずリレーは上達していきます。

スプリント
能力

個々がスプリント能力を上げることでチーム力の底上げになる

短距離の走り方を理解して効率的にタイムを縮める

スプリント能力を向上させるには、短距離の走り方を理解することが大切です。

たとえば100メートル走の場合、スタートからフィニッシュまでを「一次加速」「二次加速」「中間疾走」「速度てい減」という4つの区間に分けることができます。それぞれの区間でどのようなことを心がけて走れば良いのかが分かれば、効率的にタイムを縮めていくことが可能になります。

そこに加えて、スタートの仕方やフィニッシュの仕方など、細かい部分も修正していけば、必ずスプリント能力は向上していくはずです。

短距離の走り方を知る
100メートルを細かく分類して、それぞれの場面で必要なポイントを理解しておく

オーバーハンドパス
受け手が伸ばした手のひらに、渡し手がバトンを押し込むかたちで行なうバトンパス。利得距離を大きく稼げるのがメリット
アンダーハンドパス
受け手は腰の位置近くに手のひらを構え、渡し手は腕振りの延長線上でバトンパスを行なう。オーバーハンドにくらべて体勢の崩れがなく、スピードも落ちづらいのがメリット

バトンパス

リレーで勝つためには パス技術を高めることが必須条件！

バトンパスの巧拙はタイム短縮に直結する

走者と走者をつなげるバトンパスは、リレー種目におけるもっとも重要な要素と言えます。

バトンパスには大きく分けてオーバーハンドパスとアンダーハンドパスがあり、どちらを選択するかはバトンパスの成熟度や信頼関係にもよってきます。とくにアンダーハンドパスは高度な技術が求められるので、まずはオーバーハンドパスで確実にバトンパスができるようになるところからはじめると良いでしょう。

バトンパスのポイントとして大きいのは、練習すればするほど上達が顕著に感じられるということです。バトンパスが上達すれば、タイムを一気に縮めることも可能になります。

走順を見極める
直線が得意な選手、カーブが得意な選手など、それぞれの区間に合った選手を配置するのも一つの戦術
信頼関係を深める
チームを組んで争うリレー競技では、お互いの信頼関係が結果に直接反映される。強固なチームワークを築いておくことで、細かい部分でのタイム短縮が可能になる

戦術

練られた戦術によってスプリント能力の差を埋める

強固なチームワークが勝利を呼び込む

戦術と一口に言ってもその内容はさまざまですが、リレーにおいてまず大事になるのは走順です。4×100メートルを例にした場合、1~4走は400メートルトラックを分割して走るわけですから、直線が長い選手もいればカーブが多い選手もいます。それぞれの区間に適した選手をいかに配置できるかが重要です。

そしてもう一つ大事になってくるのが、チームワークです。とくにバトンパスにおいては、マーカーの位置など細かい調整が必要になり、信頼関係が築けていなければ確実にバトンを受け渡すことができません。

ただ速く走るだけでなく、戦術も頭に入れておくことで、さらなる上達を見込むことができます。

日本代表チームの強み

日本代表の「チームワーク」が生み出す究極のバトンパスと戦術

考え抜かれた走順と世界一のバトンパス技術

これまで陸上競技、とくにトラック種目では世界の壁に阻まれてきた日本が、近年オリンピックや世界陸上などで好成績を収めるようになってきています。リオ五輪では4×100メートルリレーで銀メダルを獲得しましたが、あのときの日本代表はなにが良かったのか、その理由を探ってみましょう。

第1走者は山縣亮太選手でした。山縣選手は一歩目で他の選手に勝負をつけてしまうくらいリアクションが良く、なおかつスプリント能力も高い選手です。スタートの上手さという意味では、第1走者として適任と言えるでしょう。

第2走者は飯塚翔太選手です。飯塚選手は主に200メートルを主戦場としており、助走をつけてからの走りがメンバーのなかで一番安定しています。スピードの持続力も高く、チームの精神的な支柱ともなっていました。

第3走者は、2017年に9秒98という100メートルの当時の日本記録を樹立した桐生祥秀選手。桐生選手は圧倒的なスピードはもちろん、足の回転が他の選手にくらべてかなり速いので、コーナリングが抜群に上手いという特長があります。第3走者にもっとも求められるのはコーナリングの上手さなので、ここも適任であったように思われます。

「速さ＋バトンパス技術」が世界との差を埋める！

そして第4走者はケンブリッジ飛鳥選手でした。ここは藤光謙司選手がエントリーされたこともありますが、両者に共通しているのはスプリント能力の高さと、競り合いの強さです。最後は外国人選手との競り合いになることが多いので、競り合いから一歩抜け出せる選手が起用されるということになります。

これらの走順に加えて、日本代表にはバトンパスという大きな武器がありました。日本チームのバトンパスはアンダーハンドパスを改良したもので、これは世界一の技術といっても良いかもしれません。他国はバトンパスよりもそれぞれの速さに重きを置くことが多いですが、日本は「速さ＋バトンパス」で他国との差を縮め、アジア人には難しいと言われたトラック競技でのメダル獲得に至ったのです。

レベルアップコラム①

リレーが強いチームの特徴

走力を活かすバトンパスは練習を重ねて身につける

スムーズに受け渡すためにも、普段からコミュニケーションをとろう

実戦で試すことも大切

走順は普段の練習だけでなく、実戦で試してみることも大きなポイント。相手がいると個々の課題や得意を見つけることもできる

バトンパス技術は普段の練習で身につける

本書に登場している中央大学陸上競技部をはじめとして、リレー競技で優秀な成績を残すチームに共通する点は、まずなによりも「チームの走力が高いこと」、そして、それを活かすことができる「バトンパスが優れていること」があげられます。走力を活かすためのバトンパス技術は、普段から走順を固定せずに、いろいろなメンバーで練習を行なうことで成熟していきます。エースが1走を担当したり、メンバーの走順を変えて練習をすることで、新たな発見や課題が見えてきます。

また、ベストメンバーで本番を迎えることが理想ですが、不測の事態でメンバーを変更せざるを得ない場合もあります。そのようなときも、仲間同士で普段から情報を共有していれば、焦らずに競技に臨むことができるでしょう。年代問わず、信頼関係が強く、戦術の理解度が高いチームがリレー競技で結果を残しています。

Part 2

リレーに活きる スプリント技術を高めよう

リレーに活きるスプリント技術を高めよう

姿勢の取り方

カラダが一本の軸になるような姿勢をつくって走る

軸をつくれば
カラダを前に運びやすい

頭から足先まで一本の軸をつくる

リレーで速く走るための第一歩として、まず意識したいのが正しい姿勢です。姿勢が悪いとカラダが前後左右にブレてしまい、前へと進む力が分散してしまいます。正しい姿勢を維持するために、大事になるのが「軸」をつくる意識です。背すじを伸ばして胸を張り、頭から肩、腰、足先までが一直線になるようなイメージで立つことで、カラダに一本の軸ができあがります。立っているときも走っているときも、この軸をブラさないようにすれば、地面に効率よく力を加えることができるのです。

軸がブレると
前に進みづらくなる

頭から足先まで一直線の姿勢を
保ちながら走る

軸がブレている

カラダの軸が前後左右にブレると、走ったときに地面へと伝わる力が減少してしまいスピードが出ない

カラダが一直線になっている

頭から足先までが一直線になるようなイメージで立つ。軸がブレると前へ進む力が分散してしまう

ココがポイント！ 軸がブレるとパワーダウン

カラダの軸がブレている状態として多く目につくのが、猫背であったり、反対に背中が反って後傾しているような姿勢である。地面を強く踏み、その反発力で前へ進むための推進力を生み出すスプリント競技では、軸がブレていると強い踏み込みができずパワーダウンにつながってしまう

コツ 02

姿勢の矯正ドリル

つねに正しい姿勢で歩くことを心がけて姿勢を矯正

日常生活から姿勢の崩れを正す

正しい姿勢を身につけるには、日ごろからの意識が大切になります。練習でいくら姿勢を意識したとしても、日常生活の姿勢が悪いとカラダがその姿勢を覚えてしまうからです。

陸上をはじめたばかりの初心者はとくに、立っているときと歩いているときの姿勢を正すことからはじめてみると良いでしょう。猫背になっていたり、胸を張りすぎてカラダが後傾してはいけません。自分では姿勢の崩れが分かりづらいので、映像などで確認してみるのも有効だと思います。

速く走るためには
日常生活での意識も大切！

ドリル①
立ち姿の確認

上から引っ張られているようなイメージで背すじを伸ばして立つ。胸を開き、猫背にならないようにする

ドリル②
歩行ドリル

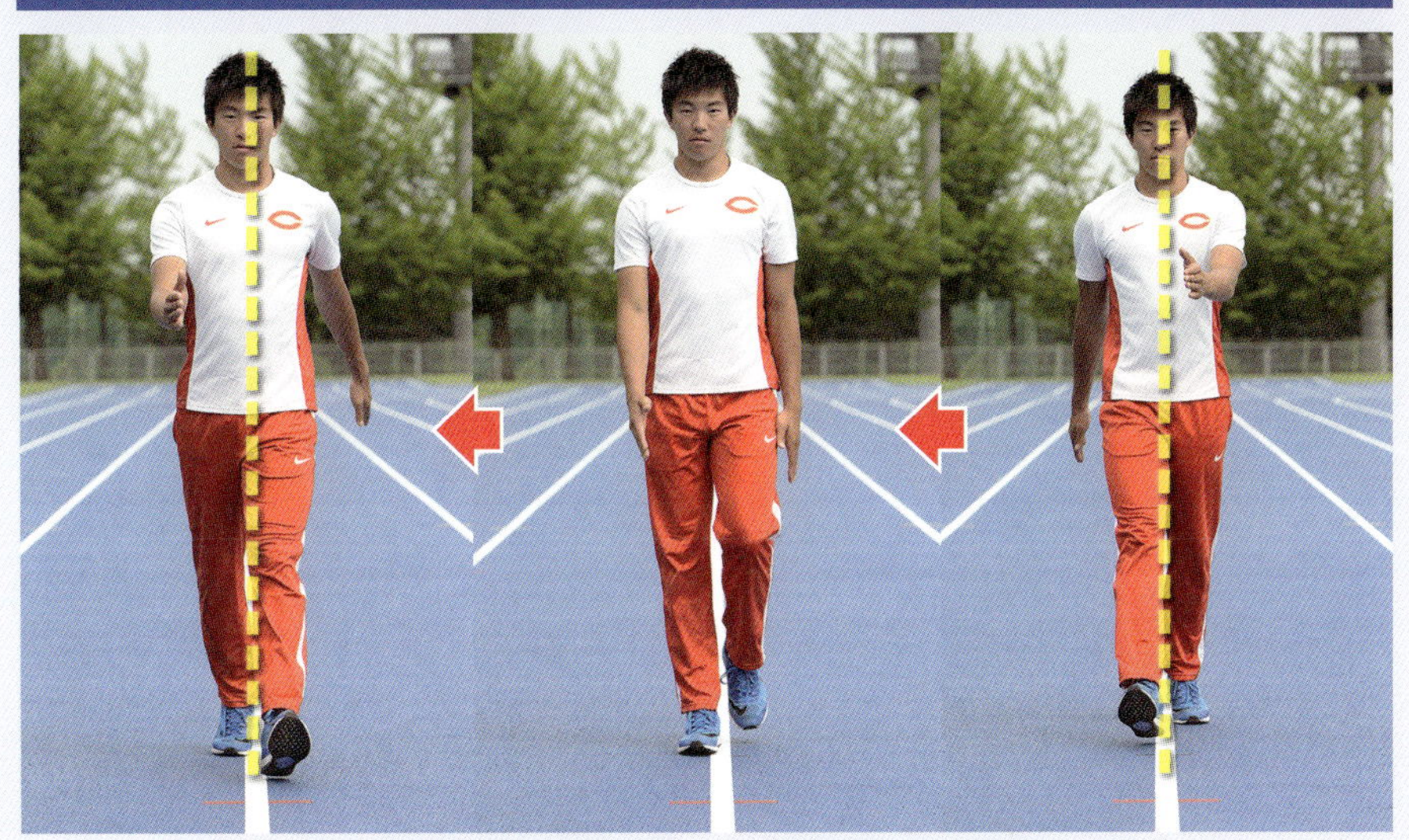

カラダに一本の軸をつくり、その軸をブラさないように、正しい姿勢を維持しながら歩く。腰が残らないように、背すじをしっかりと伸ばそう

リレーに活きるスプリント技術を高めよう

体幹トレーニング&補強トレーニング

体幹を鍛えることで軸を維持したまま走れるようになる

体幹を鍛えて正しい姿勢を維持する

スプリント技術を向上させるには体幹トレーニングに取り組みましょう。体幹が弱いと、走っているときにカラダの軸がブレてしまい、スピードが落ちる原因となってしまうからです。

また、リレーではバトンを受けるまで片方の腕を上げたまま走ります。体幹に力を入れてしっかりとカラダを支えることができなければ、スムーズにバトンの受け渡しができないばかりか、パスを受けてから瞬時に加速することもできません。普段の練習から積極的に体幹トレーニングを取り入れましょう。

速く走るためには足まわりの筋肉よりも
体幹まわりを鍛えることを優先しよう!

ドリル①
体幹トレーニング（背筋）

四つん這いの姿勢から、片方の手をカラダの正面に、クロスする側の足をカラダの後方へ伸ばす。反対側も同様に行なう

ドリル②
体幹トレーニング（腕立て伏せ）

腕立て伏せをしながら、片方の足を地面から離してヒザを90度に曲げる。ヒザを曲げたまま内側へひねる

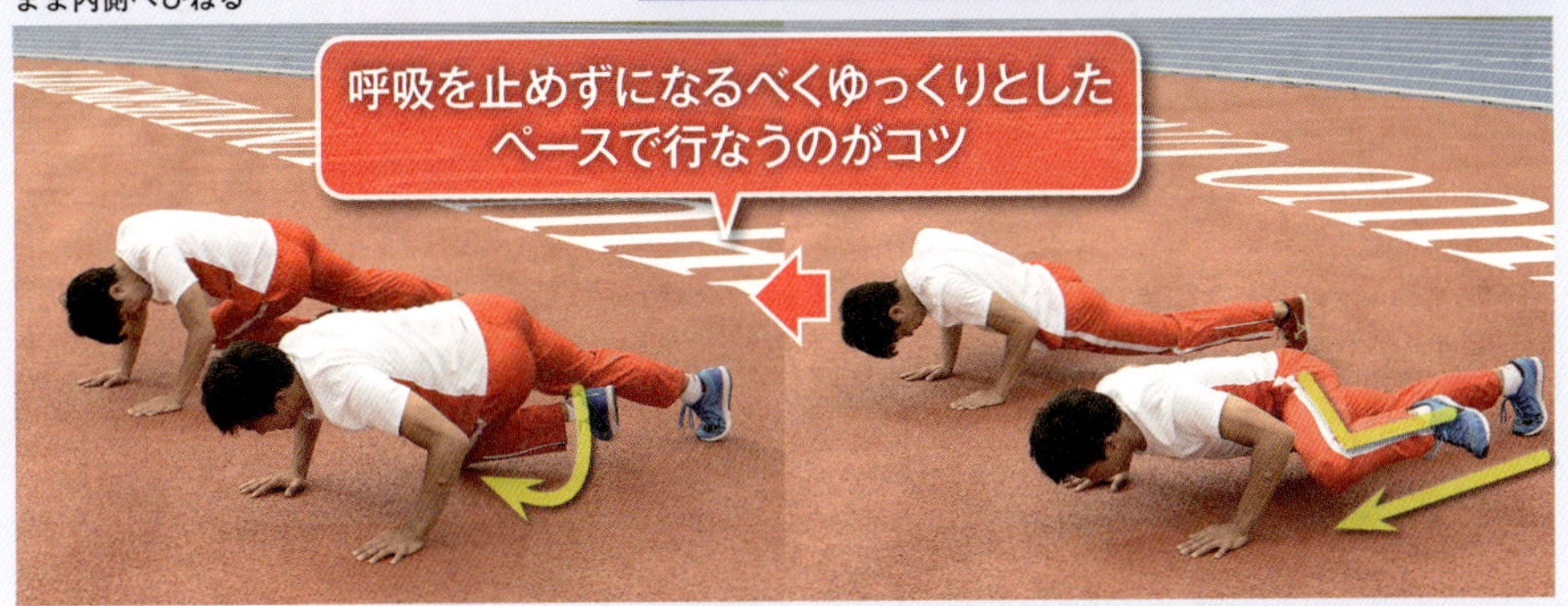

ドリル③
体幹トレーニング（腹筋）

あお向けになり片方のヒザを90度に曲げて持ち上げ、片方の手を頭の上へ伸ばす。反対の足をまっすぐ持ち上げるのと同時に、頭の上へ伸ばした手をカラダの中心へ

伸ばしている足を戻したときに
地面にカカトがつかないように注意する

Part 2

コツ 04

腕の振り方

リレーに活きるスプリント技術を高めよう

ヒジを90度に曲げて肩甲骨から動かして腕を振る

腕だけ速く振っても足の回転と連動しなければダメ！

ヒジを90度に曲げて肩甲骨から動かす

腕振りは足の動きと連動させることがポイントです。腕振りだけが速くなってしまったり、腕はしっかりと振れているのに足の回転がついていかないといった状態では、スムーズな走りができません。

腕の振り方の基本は、ヒジを90度に曲げて肩甲骨から動かすイメージで振ります。前に振ることよりも、引く、もしくは真下に落とすことを意識すると、正しい腕振りが実践できます。こぶしを強く握ってしまうと素早い動きができなくなるので、上半身はつねにリラックスしたまま腕を振りましょう。

カラダの側面を切るように振る

腕振りはカラダの側面ギリギリを通る方が良い。ワキを締めて、カラダの側面を切るように腕を振る

こぶしは握らない

人間のカラダは、末端に力が入るとスムーズに動かすことができなくなる。両こぶしは強く握らず、リラックスを心がける

コツ 05 腕振りドリル

その場で腕を振り効率の良い振り方を身につける

リラックスした状態で速くスムーズに腕を振る

腕振りのトレーニングはできるだけ速く振ることがポイントです。その場で腕振りだけに意識を置いて行なうのも良い練習になりますが、適度な重りを持つことでさらなる効果が期待できます。

上半身のリラックスはとても重要ですが、腕が伸びきっているとどうしても大きな動きになってしまい、回転数が上がりません。ヒジを90度に曲げた状態でスムーズに腕が振れるように、練習で感覚をやしなっておきましょう。

つねに走っている状況を想定して
しっかりヒジを90度に曲げよう

ドリル①
その場腕振り

ワキをしっかりと締めて肩甲骨から腕を動かす

足を前後に適度に開いて、その場で腕振りを行なう。ワキを締め、肩甲骨から動かすイメージを持つ

ココがポイント！ 腕振りでカラダをコントロール

腕と足を連動させてより大きな推進力を生み出す

腕振りは下肢をコントロールするという大事な役割も担っている。腕の振りが小さいと足の回転力も悪くなり、結果としてダイナミックな走りができない。速い腕振りを意識することによって、足の回転力も高まり、大きな推進力を生み出すことができる

重心の位置

腰の位置を高くキープし重心を後ろに残さない

自分の重心の位置がどこにあるか確認してみよう！

腰の位置を高く保ちカラダの軸をブラさない

重心の位置を保つことはスムーズな走りを実践するための大切なポイントです。走っているときに重心が後ろに残ると、前への推進力が落ちてしまいます。

つねに意識しておきたいのは、腰の位置を高く保つことです。腰が引けて重心の位置が低くなってしまったり、猫背になって重心の位置が定まらないと、スピードを維持することができません。前に出した方の足にしっかりと体重を乗せ、すぐにもう一方の足を引きつけて正しい姿勢を維持することで、勢いを保ちながら走り続けられます。

ポイントは
腰の位置と前足体重！

足を素早く引きつけて
腰の位置を高く保つ

前足に重心を乗せる

OK

前足に体重を乗せる

大きな推進力を生み出すためには、前足にしっかりと体重を乗せることが重要。もう一方の足を素早く引きつけて、カラダの軸がブレるのを防ぐ

腰が引けていると、
抵抗を受けやすくなってしまう

重心を後ろに残さない

腰が引けていたり猫背になっていると、重心が後ろに残って前への推進力を邪魔してしまう。走っているときもつねに正しい姿勢でいることを意識する

Part 2

コツ 07

リレーに活きるスプリント技術を高めよう

足の着き方

足の着き方を変えるだけで地面に伝えるパワーがアップする

足裏で地面を押して大きな反発力を得る

スプリント種目において、地面に足をどう着くか、いわゆる「接地」はとても大事なポイントです。足の着き方一つで地面に伝わるパワーは大きく変わってきます。

地面をしっかりと押し、大きな反発力を得るためには、足裏全体で接地するイメージを持っておくと良いでしょう。くるぶしの真下で地面をとらえれば、おおよそ足裏全体で接地することになります。つま先やかかとで接地すると勢いにブレーキがかかってしまうので気をつけましょう。

接地箇所は足裏全体

足裏全体で接地すると、地面から大きな反発力を得ることができる。くるぶしの真下で接地する意識を持っておくと良い

つま先で地面を蹴らないように
注意する

NG

つま先やカカトからの接地は避ける

つま先やカカトでの接地は、推進力にブレーキがかかってしまう。つま先で蹴り出すのではなく、足裏全体で地面を押すイメージを持とう

ココがポイント！ つま先で小走りに走っていませんか？

速く走るには足の回転力が重要だが、回転力を意識しすぎるあまり、歩幅の狭い小刻みな足運びになってしまうとスピードが上がらない。スピードは歩幅と回転力のかけ算のようなものなので、歩幅は広く保ちつつ、回転力を高めていくことができれば、自然とスピード能力も高まっていく

Part 2

コツ 08

足の振り下ろし

リレーに活きるスプリント技術を高めよう

高い位置から足を振り下ろすことで強い反発力を得る

足を振り下ろすスピードを意識する

振り上げよりも振り下ろしを意識する

速く走るには地面を強く押して、大きな反発力を得る必要があります。足裏で地面を強く押すためには、ある程度高い位置から足を振り下ろさなければなりません。このとき重要になるのが、どのようにして足を振り上げ、振り下ろすかです。

気をつけたいのは、あまり足を高く上げることばかり意識してしまうと、カラダが後傾してしまい軸のブレにつながります。振り上げはヒザを前に出すイメージを持ち、振り上げよりも振り下ろしの速さを意識することで、より大きなパワーを地面へと伝えられます。

振り上げより振り下ろしが大切

足を高く上げることよりも、上げた足を速く振り下ろすことに意識を置いた方が、より力強く足裏で地面を押すことができる

カラダの後傾に注意する

足を高く上げすぎるとカラダが後傾してしまい、軸がブレる。振り上げの高さはヒザと腰が平行になる程度が良い

リレーに活きるスプリント技術を高めよう

もも下げドリル

もも"下げ"練習で反発力を得る感覚をやしなう

ももは上げすぎず下げる意識を強く持つ

スプリント競技でスピードを求めるには、地面からの反発力を効果的に使わなければなりません。その反発力を、より大きなものにするために必要になるのが、鋭い足の振り下ろしです。

陸上ではよく「もも上げ」と呼ばれる練習が行なわれます。これは主にピッチを高めるために効果的ですが、地面からの反発力を上手に得る感覚をやしなうことも可能です。このときポイントとなるのは、ももを下げる意識です。鋭い足の振り下ろしを繰り返すことで地面に強い力を加えられます。

鋭くももを下げていくことで
地面から大きな反発力が得られる

ドリル①
ミニハードル

狭い間隔で設置したミニハードルを、ももを下ろすことに意識を置きながら跳ぶ。足裏全体で接地して、地面からの反発力を得る感覚がやしなえる

ドリル②
もも下げトレーニング

前に進みながら足の振り上げと振り下ろしを繰り返す。振り上げはヒザが腰と平行になる程度まで行ない、振り下ろしはできるだけ鋭く速くする

Part 2 コツ 10

リレーに活きるスプリント技術を高めよう

関節のブロッキング

足首がグニャグニャだと力を加えられない

ヒザや足首を固めると
力強く地面を蹴ることが可能に

関節を固めて反発力を推進力に変える

足で地面を押したことにより生まれる反発力を充分に作用させるためには、関節を固める「ブロッキング」という技術が必要になります。ヒザや足首が緩んでいると、地面から伝わる反発力が吸収されてしまいます。関節を固めることにより吸収を抑え、反発力をダイレクトに推進力へとつなげていきましょう。

ブロッキングは関節を緩めすぎず固めすぎず、適度に固定することが大切です。接地したときにヒザがグニャッとつぶれないように意識し、過度に足首のスナップを使わないようにしましょう。

速く走るためには反発力を得ながら
進むことがポイント
OK

足首をしっかりロックする

足首を適度に固めて地面に力を伝えると、反発力が進行方向に跳ね返ってくる。その繰り返しで地面からの反発力によって前に進んでいく

接地時はなるべくヒザを
曲げずに走る

ヒザや足首の緩みが反発力を吸収してしまう

接地時にヒザや足首が緩んでいると、クッションのように地面から受ける反発力を吸収してしまう

コツ 11

リレーに活きるスプリント技術を高めよう

足の着き方とブロッキングドリル

高い位置からジャンプしてブロッキングの練習をする

接地時のブロッキングで反発力をつかう

地面に足を着くときは、つま先からではなく足裏全体で地面を押していきます。くるぶしの真下で着くイメージを持つと、足裏全体でしっかりと地面をとらえることができるでしょう。

足裏で地面を押して、地面からの反発力をもらうとき、足首が緩んでいると力が吸収されてしまいます。踏み台などの上から関節をブロッキングしたまま跳び降り、そのままジャンプすることで、反発力を上手に使う感覚をやしなうための練習になります。

地面からの反発力を得るためには
関節のブロッキングが必須

ドリル①
その場でジャンプ

着地時にヒザを曲げすぎない

大きくヒザを曲げて着地すると、ヒザが反発力を吸収してしまう。足裏が地面に着いたら素早く跳び上がろう

ドリル②
踏み台ジャンプ

ある程度高さのある踏み台などを利用して、関節を固めたまま昇り降りを繰り返す

コツ 12

回転力

リレーに活きるスプリント技術を高めよう

スピードアップしたければ足の回転数を上げよう

歩幅を広げすぎると
スピードロスになってしまうことも……

スピードを生み出すには回転数と歩幅を意識する

スプリント競技におけるスピードは、足の回転数と歩幅によって決まります。回転数が高く、そして歩幅が広ければ、必然的にスピードも上がるのです。

足の回転力を高めるには、カラダの軸を保ち、ヒザを前に出すイメージを持つと良いと思います。無理に歩幅を広げようとすると、カラダの軸がブレてしまうので注意しましょう。

回転数と歩幅はとても難しい関係性であり、どちらかを犠牲にしなければならない側面もあります。一歩ずつ、しっかりと重心を乗せる意識を持つことが大切です。

ストライドを理解する

陸上でよく使われる「ストライド」とは、空中でどれだけ移動できたかを指す。ストライドを伸ばすためには、歩幅を広げるのではなく、どれだけ地面からの反発力を得て前へと跳べるかが重要になる

地面からの反発力が大きければ
大きいほど推進力につながる

無理に歩幅を広げて走らない

必要以上に歩幅を広げて走ろうとすると、カラダの軸がブレて無駄な動きが増える。足にしっかりと重心が乗る歩幅で走ることを意識する

Part 2

リレーに活きるスプリント技術を高めよう

回転力アップドリル

ラダートレーニングで足の回転力を向上させる

さまざまなトレーニングで回転力をアップさせる

足の回転力はスピードと密接な関係があります。回転力を上げることができれば必然的にスピードも上がり、タイムを縮める一つの要因になります。

回転力を上げるトレーニングとしてラダートレーニングというものがあります。これは地面に置いたラダーの上を走ったり、複雑なステップを繰り返すことで、敏捷性やバランス感覚、反射神経などをやしなうのが主な目的です。そのほか、平行棒を使って空中で足を回転させるトレーニングも、回転力の向上につながります。

ラダートレーニングで
バランス感覚や反射神経をやしなおう

ドリル①
ラダートレーニング

ノーマルステップ　ツイストステップ　サイドステップ

地面に置いたラダーの上を細かいステップで走り抜ける。サイドステップやツイストステップなども組み合わせると良い

ドリル②
平行棒を使ったトレーニング

体勢の崩れに気をつける

どのトレーニングにおいても、体勢が崩れたまま行なえば効果が薄れてしまう。走っているときの姿勢をイメージして行なうと良い

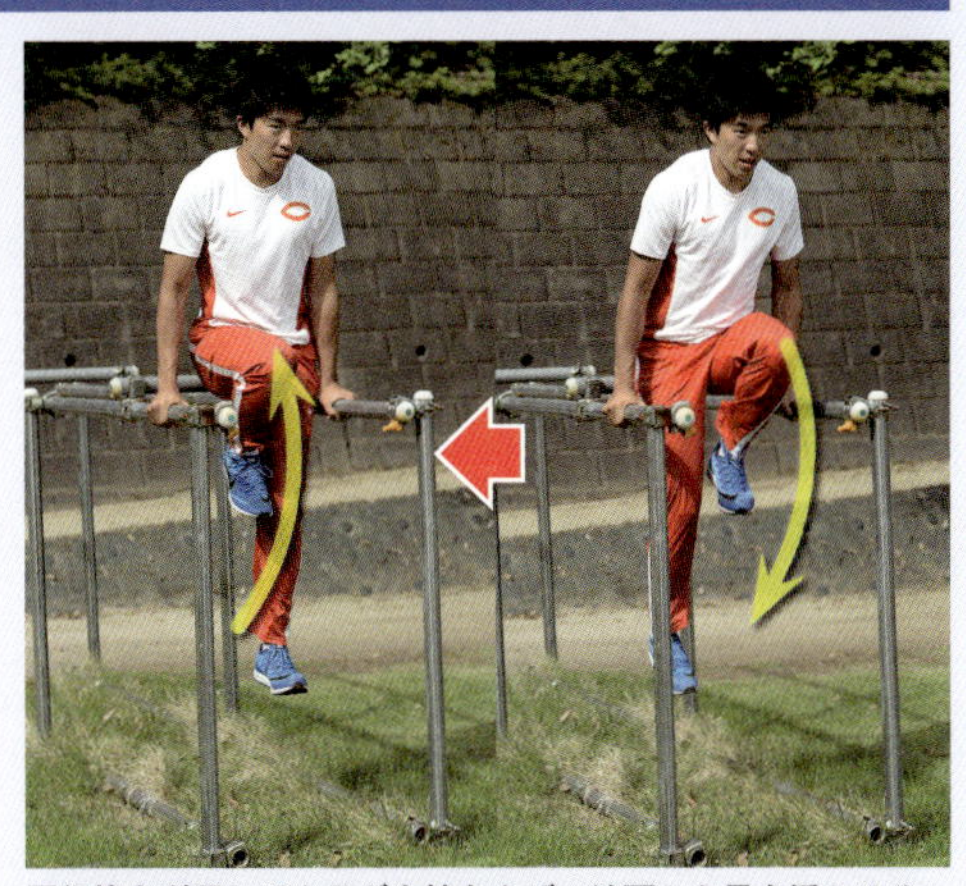

平行棒を利用してカラダを持ち上げ、地面から足を浮かせる。その状態のまま足を素早く回転させよう

Part 2

コツ 14

前傾姿勢を保ってスタートから一気に加速する

リレーに活きるスプリント技術を高めよう

一次加速のコツ

一次加速中は
カラダを深く前傾させる

深く前傾したまま徐々にスピードを上げる

100メートル走に代表されるスプリント競技は、スタートしてからフィニッシュするまでの走りを主に4つの区間に分けることができます。

第1区間である「一次加速」は、スタートしてから30メートルくらいまでを指します。一次加速の間は上体を深く前傾したまま、徐々にスピードを上げていきましょう。上体を早く上げすぎると加速が止まってしまうので注意が必要です。坂道を駆け上がるようなイメージを持っておくと良いでしょう。

目線を下げたまま走る

一次加速は約30メートルを前傾姿勢のまま走りきるのが理想。目線が上がると上体も起きてしまうので、目線は下げたまま走ろう

目線が上がると
上体も立ってしまうので注意！

ココがポイント！

頭を下げずにカラダを倒す

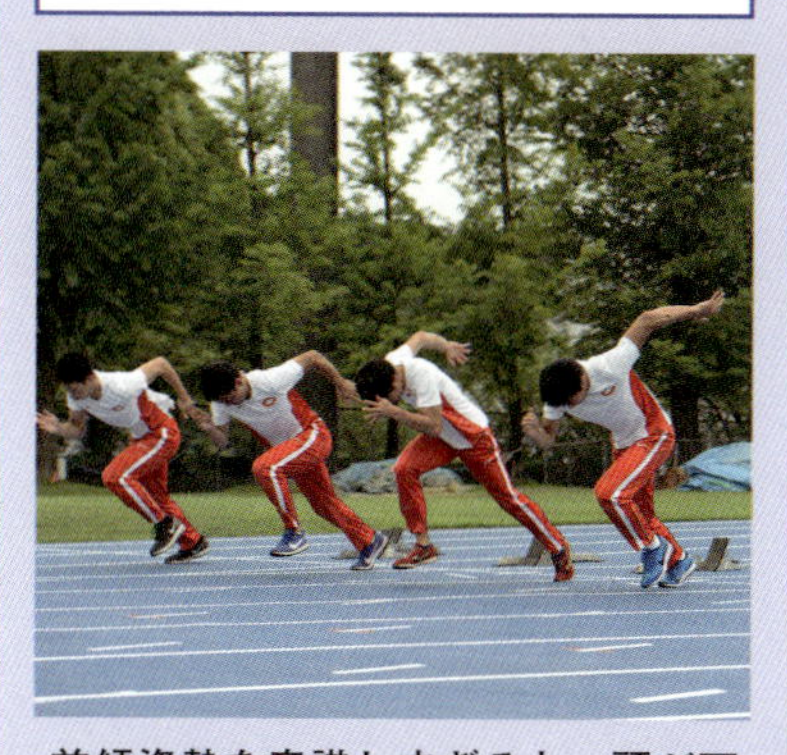

前傾姿勢を意識しすぎると、頭が下がって正しい姿勢が維持できない。頭から腰までを一直線に保つことが大切

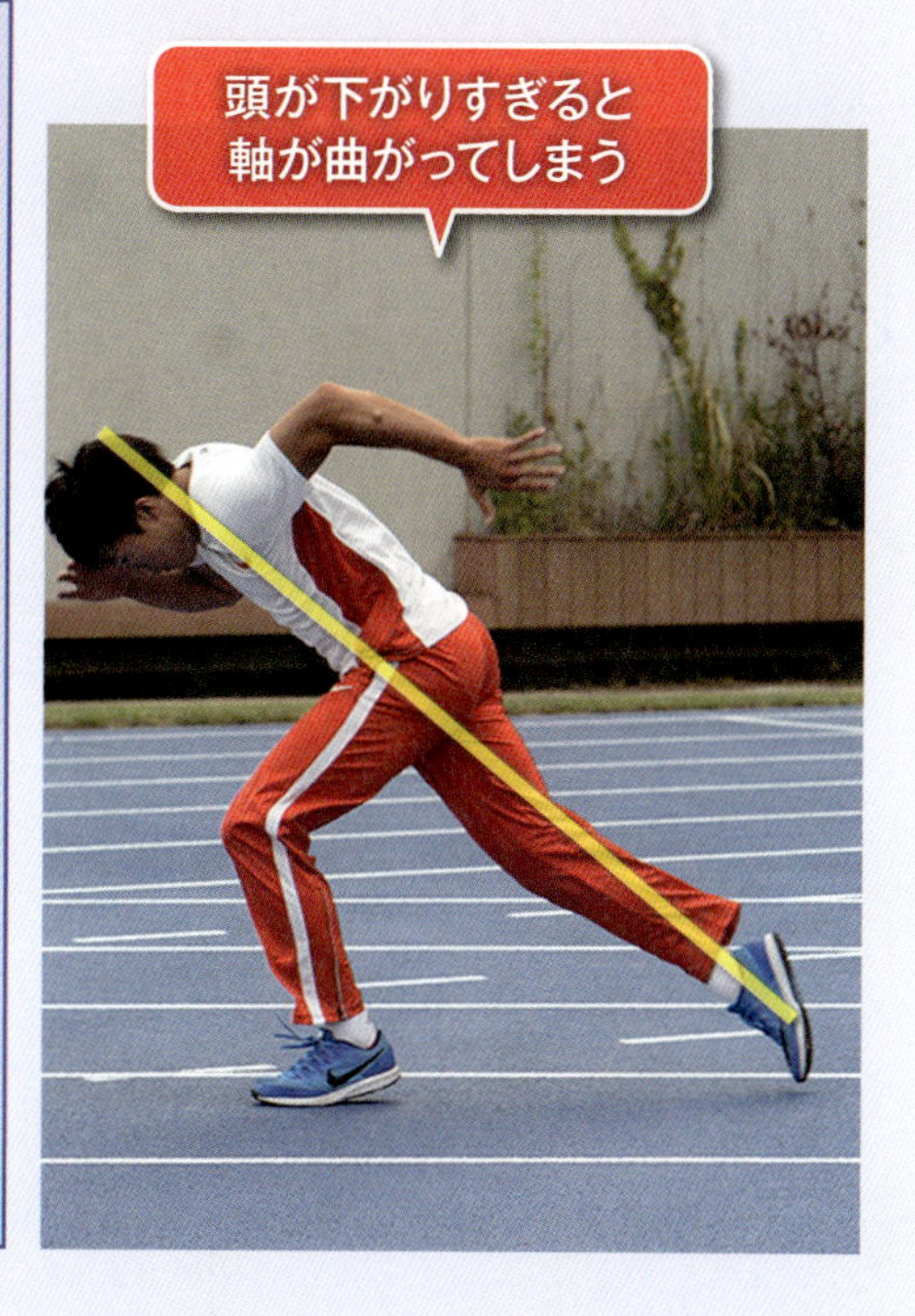
頭が下がりすぎると
軸が曲がってしまう

二次加速のコツ

徐々に上体を起こしながらさらにスピードを上げていく

ストライドを広げてスピードを上げていこう！

ココがポイント！

上体は完全に起こさない

二次加速の段階では、上体を徐々に起こしながらやや前傾までもっていく。完全に起こしてしまうと加速が止まってしまうので注意が必要

地面から強い反発力を得てさらに加速していく

「二次加速」とは30メートルから60メートル付近までを言います。一次加速は深い前傾を保ったまま走りましたが、二次加速では徐々に上体を起こしていき、60メートルに差し掛かるところでほぼ直立となりトップスピードに達します。

一次加速からさらにスピードを上げていきたいので、地面から強い反発力を得るためにも一歩一歩を強く踏み込んでいきましょう。ストライドも徐々に広げていき、動作に合わせて腕の振りも大きくしていきます。

中間疾走のコツ

リズム良く走りながらトップスピードを維持する

トップスピードの維持がタイムに反映される

ココがポイント！

無理に足を回転させない

トップスピードに到達してからは、どのようにしてスピードを維持するかが大切になる。無理に足を回転させて、よりスピードを上げようとすると、失速の原因になるので気をつける

リラックスしてリズム良く走り抜ける

スタートから一次加速、二次加速と経て、60メートルあたりでスピードは最高地点に達します。60～80メートル付近までを「中間疾走」と言い、この区間ではカラダをほぼ起こして、できるだけスピードを落とさないように維持していきましょう。

ここでポイントとなるのは、中間疾走区間ではそれ以上スピードが上がらないということです。無理にスピードを上げようとすると力みが生まれ、失速の原因となります。リラックスを意識して、リズム良く走りきることを心がけましょう。

コツ
17

リレーに活きるスプリント技術を高めよう

速度てい減を抑える

足の回転を意識して減速をなるべく抑える

後半の減速を防ぐことで
タイムはアップする

ピッチの低下を抑えて減速を最小限に食い止める

80メートルを過ぎてからは、徐々にスピードが落ちていきます。あのウサイン・ボルト選手でさえ、この区間は減速しています。

速度てい減区間では、どれだけ減速を食い止められるかがポイントです。減速を最小限に抑えることができれば、必然的にタイムも伸びます。

減速を抑えるためには、足の回転を意識すると良いと思います。ピッチが低下する終盤でむしろピッチを上げていく意識が持てると、それまでのリズムを保ったまま最後まで走りきることができます。

アゴを引いて後傾を防ぐ

速度てい減の理由の一つは、苦しくなってアゴが上がり、カラダが後傾してしまうことにある。アゴを引き、正しい姿勢を維持して走りきる

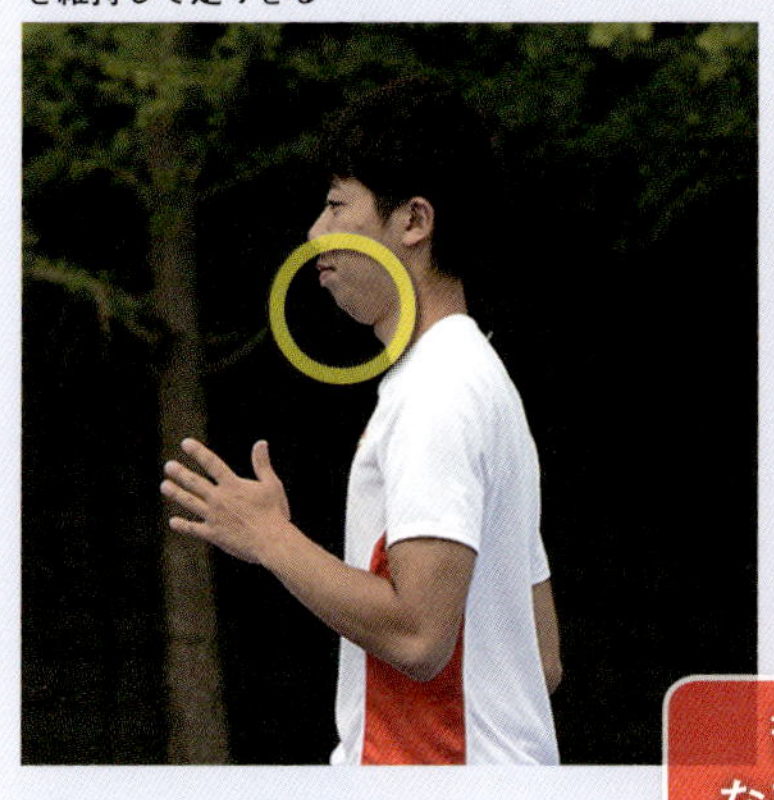

苦しくなっても
なるべくアゴを引く

歩幅を伸ばし過ぎない

ピッチが低下した状態で歩幅を伸ばそうとすると、速度低下の一因になる。リズム良く適度なストライドを保つ

歩幅を無理矢理大きくすると
ブレーキがかかってしまう

リレーに活きるスプリント技術を高めよう

不整地でのトレーニング

足場の安定しない場所でも体勢を崩さずに走る

一本の軸を維持したまま走り切るトレーニング

普段の練習で使用しているトラックでは、多少うまく走れなくても「ごまかし」が利いてしまいます。しかし、砂浜や芝生といった不整地では中途半端な走りをしていると体勢が崩れてしまいカラダを前に運ぶことができません。そのため22ページで解説したような、一本の軸を維持したまま走るための訓練として、とても有効なのです。このような不整地でのドリルは、年間を通じて行なうのも良いですし、強化時期に徹底的に取り組むのもおすすめです。カラダを支える力やパワーを身につける上でも効果的です。

リレーに活きるスプリント技術を高めよう

坂道ダッシュ

前傾姿勢を維持したまま一気に坂道を上る

スタートで飛び出す瞬間をイメージしながら行なう

坂道を駆け上がりスタートダッシュの技術を磨く

傾斜のある坂道をダッシュで走るトレーニングです。坂道の距離によってトレーニングの目的は異なりますが、主に短い距離（30メートルから50メートル）で行なうと良いでしょう。スタートダッシュの動きと非常に近いカラダの使い方をするため、いわゆる一次加速（48ページ）に関わる技術を身につけることが可能です。また坂道を上るときには、当然のことながらカラダに大きな負荷がかかります。そのためスタートダッシュだけでなく、パワートレーニングにもつながるドリルです。

コツ 20

坂道下り

リレーに活きるスプリント技術を高めよう

限界を超えたスピードを体感するトレーニング

助走をつけた状態からスタートしよう

トップスピードで走り抜ける感覚を身につける

坂道を下るトレーニングでは、限界を超えたスピードを体感できます。トップスピードで走る感覚とはどのようなものなのかを実感して、実際の走りに活かしてください。ただし、坂道の傾斜がきついと、どうしてもカラダが後ろに傾いてしまい、ブレーキ動作が大きくなってしまいます。坂道ダッシュを行なうときよりも傾斜の緩い坂道で行なってください。また、トップスピードを体感するために助走をつけながらスタートしましょう。

Part 2

コツ 21

リレーに活きるスプリント技術を高めよう

芝生ダッシュ

滑りやすい芝生でも体勢を崩さずに走る練習

バトンジョグやバトン流しで
活用するのも良い

不安定な足場でも確実にカラダを前に運ぶ

スパイクのピンが刺さる場所であればカラダはどんどん進みますが、芝生の上では、ゆったりと走るとカラダがなかなか前に運べません。理想的な走りを今一度見直すことができるトレーニングです。

また、常にオールウェザーのトラックで練習を続けているとカラダへの負担が蓄積されてしまいます。足への衝撃を軽減するため、日常的にジョギングで芝生を活用するのもおすすめです。

コツ 22

リレーに活きるスプリント技術を高めよう

砂浜ダッシュ

接地時間を短縮してカラダを前に運ぶ

距離が長くなるほど負荷が大きくなる！

足が砂浜に埋もれる前にテンポ良く前に出す

砂浜で行なうトレーニングは、バランス感覚とカラダをうまく前に運ぶ技術を磨く効果があります。

砂浜への接地時間が長いと、砂が崩れて足場はどんどん不安定になっていきます。できるだけ接地時間を短くすることがポイントです。足が砂に埋もれる前に次の足を前に出すイメージで行ないましょう。

短い距離（10メートル～50メートル程度）をダッシュするのがおすすめです。

コツ 23

リレーに活きるスプリント技術を高めよう

白線またぎ

白線をまたぎながら走り正しい着地位置を身につける

左右の足跡が一直線になるように走る

スタートからフィニッシュまでの一連の流れで意識しておきたいのは、レーンの真ん中をしっかり走るということです。カラダが左右に振れてしまうと大きなロスになります。

左右の足幅は肩幅と同程度にし、足の軌跡が左右とも一直線になるような走り方が理想です。そこで、白線をまたぎながら2本のラインを意識して走るドリルに挑戦してみましょう。白線を踏まずに走りきることで、ブレの少ない走りを身につけられます。

レベルアップコラム②
競技を長く続けていくコツ

可能性は無限大 いろいろな種目に触れてみる

いろんな種目にチャレンジしながら、
自分の適正を見つけていくことが大切！

陸上においては種目を変えたり、たくさんの種目に挑戦するのは珍しいことではない。いろんな種目に取り組んでみようという向上心を持っている方が、結果的に競技レベルや自身の成長につながる

一つの種目にこだわらず さまざまな選択肢を持つ

陸上競技において、結果を出し続けることは決して容易ではありません。一度「勝利」を味わうと、どうしても成功体験が邪魔をして守りに入ってしまうものです。

自分が努力を重ねていても、いずれ追い越していく選手が出てくるのだという現実を受け入れながら取り組みを続けるのは並大抵の気持ちでは実現不可能です。

そのため、ときには見方を変えて、いろんな種目にチャレンジすることをおすすめします。中学生時代に100メートルで優勝したからといって、高校で必ず100メートルを選択する必要はありません。可能性は無限大です。

いろんな種目に取り組む選択肢を持っておくことで陸上競技を長く続けていけるでしょう。

Part 3

スタート・コーナリングのテクニックをあげる

スタート・コーナリングのテクニックをあげる

スターティングブロックの使い方

コーナースタートの第1走者は やや角度をつけてセッティングする

自分に合ったセッティングを
見極めることでスタート力はアップする

レーンの外側に設置し 内側に切り込む

リレーの第1走者はスターティングブロックを使用して、クラウチングスタートで走り出します。

スターティングブロックは、100メートル走など直線の場合はレーンの真ん中に設置しますが、リレーなどコーナースタートの場合は角度をつけるのが一般的です。スタートラインから後ろに二歩下がったあたりに前足、そこからさらに一歩下がったあたりに後ろ足がくるようにしましょう。レーンのある程度外側に設置し、内側に切り込むようにしてスタートしていきます。

自分に合った足幅でスタート

スターティングブロックは足幅を自由に変えることができる。前後に少し幅を持たせるのが一般的だが、脚力のある選手は左右の足をほぼ同位置にする場合もある

前後にやや幅を持たせることでブロックに力を加えやすくなる

もっとも力の出るセッティングを知る

スターティングブロックは足幅以外に足の角度なども変更ができる。左右どちらの足を前足にするのか、足幅はどのくらいとるのか、角度は高くするのか低くするのか。自分がもっとも力の出しやすいセッティングを把握しよう

さまざまな足幅を試して自分に合ったセッティングを探そう

足の角度を高くする

前に置く足を変えてみる

正しいポジションをとることで強く蹴り出すことができる

効率良く力を発揮できる
正しい姿勢をマスターしよう

両腕でカラダを支え強く蹴り出す

クラウチングスタートは両手を地面についてかがんだ状態で行ないます。

両腕は肩幅よりやや開き、五本の指でしっかりと支えましょう。このとき、両腕の幅が開きすぎるとカラダを支えきれなくなるので注意が必要です。

後ろ足はヒザをつき、合図で腰を上げるとともに地面から離します。腰は高すぎても低すぎても力を出し切れなくなるので、適正な高さを保ちましょう。前足のヒザが90度、後ろ足のヒザが120～130度の角度が、一番力の発揮できる角度だと言われています。

両腕は肩幅よりやや開き、肩の下に親指がくる

ヒザをついたら、両腕は肩幅よりやや広げ、親指が肩の下にくるように置く。五本の指でしっかりとカラダを支えよう

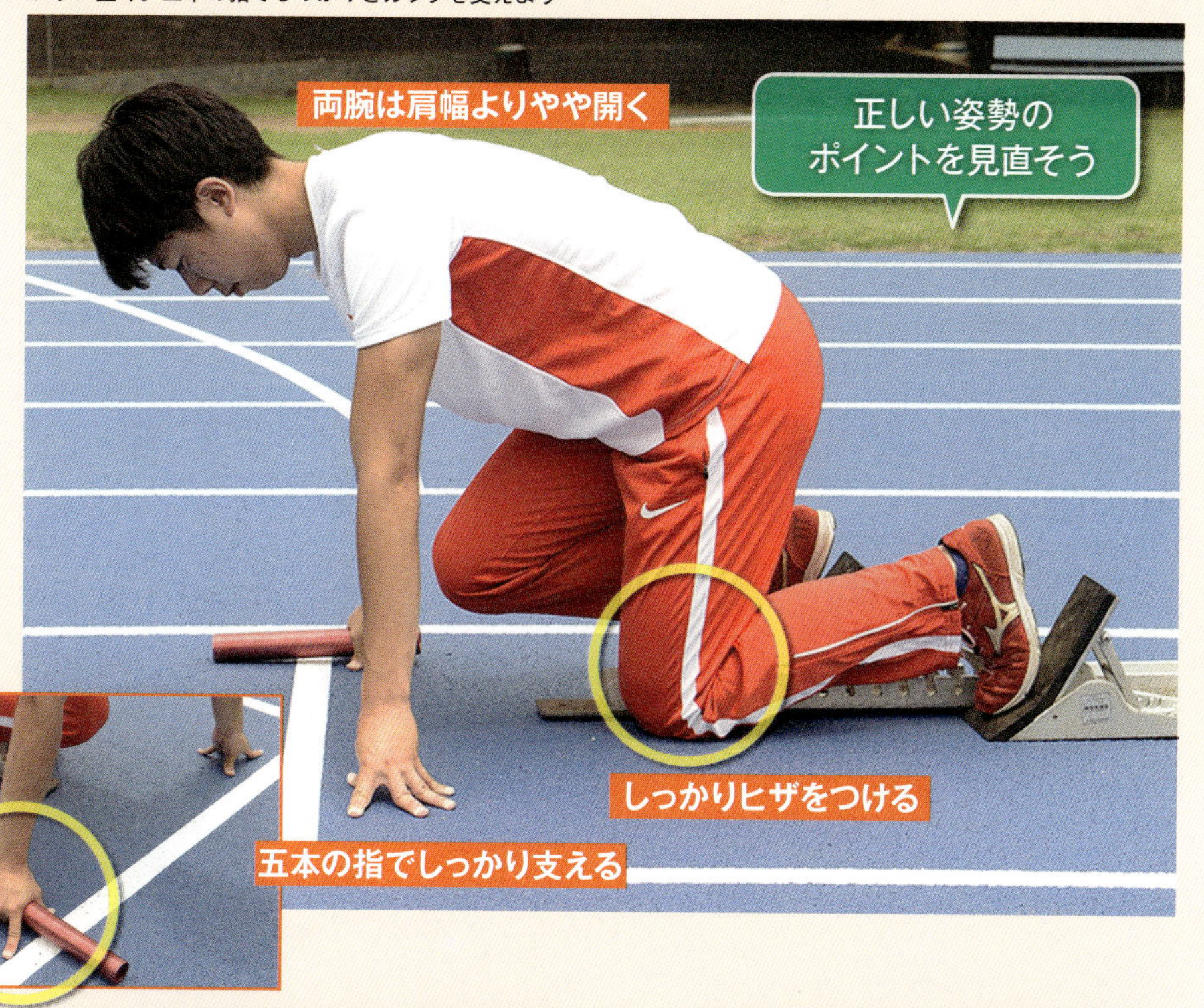

ラインの真上に肩を置く

腰を上げ過ぎると、カラダが前方へと押し出される。スタートラインの真上に肩がくるように意識すれば、体勢を崩すことなくブロックを蹴り出せる

自分がもっとも力を出すことができる高さを見つけよう

コツ 26

スタート・コーナリングのテクニックをあげる

スタートの仕方

できるだけ外側から内側に切り込むようにスタートする

カーブを直線的に走ることで膨らみによるロスを抑える

コーナーの角度を意識して外から内へ直線的に走る

大きな競技場のトラックは9レーンまであります。リレーは8チームで行なうことが多く、その場合は2〜9レーンを使用します。

4×100メートルの場合、第1走者はコーナーからスタートします。2レーンと9レーンではコーナーの角度に違いがあるため、スターティングブロックを置く角度にも違いが出てきます。内側寄りの場合はレーンの外側に置き、外側寄りの場合は通常のポジションに設置しましょう。外側から内側に直線的に走ることを心がけます。

コーナーを直線的に走る

コーナーからスタートする第１走者は、レーンに沿って走ろうとするとカラダが外に逃げて膨らんでしまう。スターティングブロックの位置を調整して、コーナーを直線的に走れるようにする

スターティングブロックに
角度をつければ直線的に走れる

スタートは確実に止まる

スプリント競技のスタートは、わずかでも動くとフライングをとられてしまう。構えたときも腰を上げたときも、きちんと止まることを意識する

フライングは絶対に避けたいもの。
しっかり止まるクセをつけよう

スタート・コーナリングのテクニックをあげる

スタートダッシュ

スタートダッシュのポイントは〝一歩目〟の踏み出し

一歩目を大股で跳び出すことで
加速度がアップする

スタートから5メートルは大股で走り出す

スタートを切った直後は、カラダを前傾したまま一気にスピードを上げていきます。そのときに大事になるのが一歩目の踏み出しです。一歩目はスターティングブロックを強く押して、大股で出ていきましょう。そうすることによってスムーズな加速が可能になります。

二歩目から三歩目も小刻みにならないことが大事です。小刻みに足を動かすことでスピードは上がるイメージがありますが、そうすると100メートルの後半に急激に減速してしまいます。スタートから5メートルは大股を意識しましょう。

後ろ足を素早く胸に近づける

スタートと同時に後ろ足を素早く胸に近づけると、鋭いスタートダッシュが可能になる。上半身は跳び出しと同時に片腕を前に振って勢いをつける

後ろ足の引きつけが遅いと
スタートダッシュできないので注意

足裏全体をスターティングブロックにつける

スターティングブロックは足裏全体で押すことによって強い反発力を生んでくれる。つま先だけをつけた体勢だと、一度カカトをつけてからのスタートになるため、大きくロスをする

コツ 28

スタートダッシュドリル

徐々に走る距離を伸ばしてリアクション能力を高める

距離を区切って走りスタートの反応速度を高める

スタートの練習法にはさまざまな種類があります。まず大事になるのは反応速度を高めるリアクションの練習です。

反応速度を高めるためのオーソドックスな練習法としては、スタートから徐々に走る距離を長くするというものがあります。最初はピストルの合図から5メートルだけ走る練習、次に一次加速までを意識させる30メートル走、二次加速までを意識させる60メートル走を行ないましょう。この練習を繰り返すことで、理想に近いスタートダッシュを決められるようになっていきます。

まずは5m走からスタート！
しっかりと集中する

ドリル①
5メートル走

スタートの反応速度を高める練習。跳び出しの角度をより意識できる。一歩目はカラダを低く保ち、腰が残らないように骨盤を前に押し出すように踏み出す

ドリル②
30・60メートル走

5メートル走と同じくスタートを意識しながら、一次加速、二次加速の距離まで走りきる。カラダを起こしていくタイミングを意識する

コツ 29

スタート・コーナリングのテクニックをあげる

変型ダッシュドリル

変形ダッシュでリアクション能力をアップさせる

さまざまな姿勢からダッシュする

リアクションをより高める練習法として、陸上競技では変形ダッシュをよく取り入れています。これは、さまざまな姿勢から合図とともにスタートをするもので、反応速度を高める効果があります。

オーソドックスなものとしては正座や長座、体育座りなどがありますが、後ろ向きやうつ伏せ、目をつぶるなどして合図を出す人間を見ずに行なう方法もあります。

それぞれリアクション能力を高める効果がありますが、練習前のウォーミングアップとしてもおすすめです。

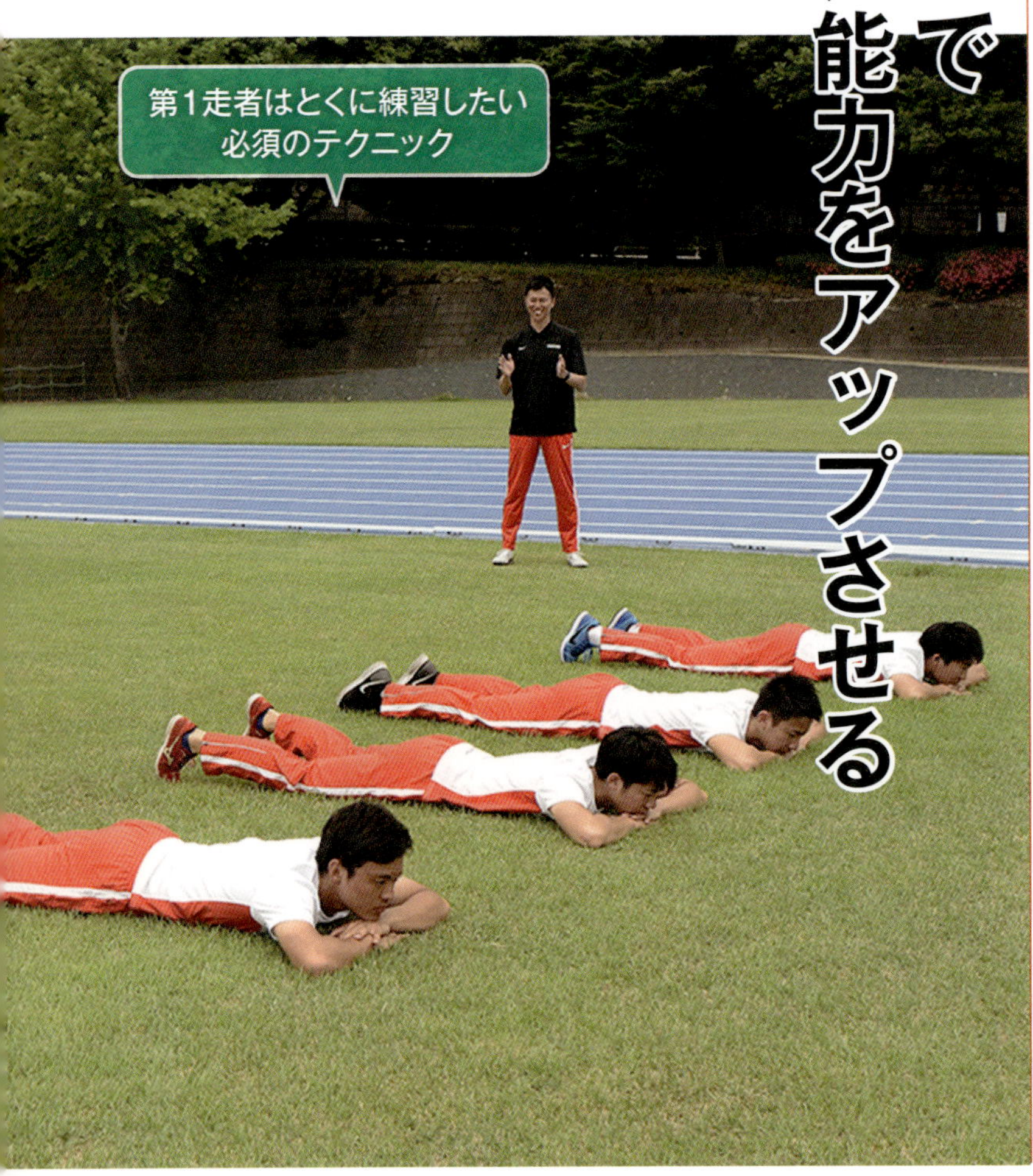

第1走者はとくに練習したい必須のテクニック

ドリル①
うつ伏せからの変形ダッシュ

うつ伏せになって手をアゴの下に置く。合図と同時に立ち上がりながら振り返り、ダッシュをする

ドリル②
正座からの変形ダッシュ

進行方向を背にして正座をする。合図と同時に立ち上がりながら振り返り、ダッシュをする

ドリル③
プランクからの変形ダッシュ

体幹トレーニングのプランクの姿勢を取った状態から、スタートしてダッシュ

合図が鳴るまで目をつぶる

それぞれの変形ダッシュは合図が鳴るまで目をつぶっておくと、より反応力を高めることができる

Part 3

コツ30

スタート・コーナリングのテクニックをあげる

スタンディングスタート

スタート時に一気に力を発揮できるポジションをつくる

バトンをもらったらすぐに加速できる
両ヒザの角度を見つけよう

スタート時に力の出るパワーポジションを理解する

リレーの第1走者はクラウチングスタートですが、第2から第4走者は立ち上がった状態からスタートを切ります。これをスタンディングスタートと言います。

スタンディングもクラウチングと押さえるべきポイントは変わりません。スタートを切るときに一番力の出る構え、パワーポジションをしっかりと理解しておくことです。前足に重心を乗せ、両ヒザの角度を意識して、一気に加速できる体勢をつくり出しましょう。

すぐに上体を起こさない

クラウチングスタートと同じく、スタンディングスタートもヒザを曲げて少しかがんだ状態からスタートを切る。スタート直後はすぐに上体を起こさず、加速とともに徐々に体勢を整えていく

適度にヒザを曲げ
前傾姿勢をとってスタートを切る

手を上げた状態で待たない

2～4走は、一気に加速できるような状態で前の走者を待つのが理想。手を上げた状態で待っていると、体勢が崩れて加速が遅れてしまう

体勢を崩さず
パワーポジションで待つ

Part 3

コツ 31

スタート・コーナリングのテクニックをあげる

コーナーの走り方

遠心力に左右されないようにカラダをやや内傾させる

内傾させたときに
軸がブレないように注意する

カラダを内傾させ遠心力を抑えながら走る

４×１００メートル走を例に出すと、実際に直線を走る距離というのはコーナーを走る距離よりも短く、大半はコーナー走です。つまり、コーナーでいかに効率よく走るかがタイムに直結します。

コーナー走のポイントは、遠心力によって外側に振られるカラダを抑えつつ、正しい姿勢を保つことにあります。重心を内側にかけてカラダを内傾させますが、このとき、前方から見てカラダの軸が曲がっているとスムーズなコーナリングができません。軸をまっすぐに保った状態でカラダを傾けましょう。

一本の軸ごと内傾させる

コーナーの角度がきつくなればなるほど、カラダを内傾させなければならない。内傾は一本の軸ごと倒す意識で行なう

NG

カラダの軸ごと傾けるのがポイント！
OK

カラダが立ちすぎないように注意

内傾が浅いと遠心力に負けてしまい、カラダがどんどん外に振られてしまう

コーナー走ドリル

右回りのコーナー走で内傾のイメージをカラダで覚える

カラダの内傾に重点をおいてカーブの走り方を身につける

カーブでの走り方を身につける練習法として、コーナー走というものがあります。カーブを走る際のカラダの内傾に重点を置きながら走り、一番バランスの良いポジションを探りましょう。

リレーはトラックを左回りに走りますが、コーナー走は右回りで行なうこともあります。最初は違和感がありますが、右回りで内傾を意識することは、カラダの使い方を再確認するという意味で大きな効果があるのです。

右回り走を行なうことで
カラダの使い方が意識しやすくなる

ドリル①
右回りのコーナー走

右回りで行なうコーナー走は、通常のコーナー走よりもさらに内傾の重要性が理解できる

ココがポイント！

競輪のバンクを走るイメージで

競輪などで使用されるバンクはすり鉢状になっていて、まっすぐ立とうとしても立つことができない。カラダを内傾させ、ある程度のスピードで走ることによって、遠心力が生まれ、カラダの軸をまっすぐ保つことができるのだ。リレーでコーナーを走る場合も同じように、カラダを曲げるのではなく、軸を傾けるイメージで走ると良い

コツ 33

スタート・コーナリングのテクニックをあげる

カーブと直線の切り替え

カーブの頂点に差しかかったら内傾を強める

カーブの終わりから直線にかけては
遠心力を利用しよう

カーブの頂点あたりから一気に加速して直線に入る

リレーではどの走者もカーブと直線を走ります。とくにカーブの出口から直線へと切り替わるタイミングは重要なポイントです。

基本的な走り方は、カーブの頂点あたりからスピードアップするとともに内傾を強め、直線に入ったところでカラダを立てます。内傾が意識できていないとスピードも落ちてしまうので注意しましょう。カーブの終わりからは遠心力を利用して膨らみつつ直線に向かいますが、このとき、無理に膨らみを抑えないことが大切です。

遠心力を利用すれば
スムーズにカーブを抜けることができる

カーブ出口では無理に遠心力を抑えない

カーブから直線にかけては、どれだけスピードを落とさずに曲がりきれるかがポイントになる。遠心力を無理に抑えようとせず、むしろ遠心力を利用して膨らみつつ直線に入る

内傾を強めるのは
カーブの頂点を過ぎてから!

カーブ出口から直線にかけて加速する

カーブの入口から加速をしようとすると、遠心力が強まりカラダが大きく外側へと振られてしまう。カーブの頂点あたりから内傾を強めて一気に加速しよう

レベルアップコラム③

フィニッシュの取り方

実は勝敗を大きく左右する！フィニッシュの姿勢

OK
胴体（胸）がラインを超えたらゴール。
最後は倒れ込むイメージで
実際に順位が変わることも……。
最後まで減速せずに駆け抜けよう
NG

胸を張って両腕を後方に突き出し、スピードが落ちないようにフィニッシュ姿勢を取ろう

喜ぶのはまだ早い！　ゴールラインを超えるまで気を抜かないことが何より大切

ゴールラインのやや先を目指して走り抜ける

実力の拮抗したチームと戦う場合は、第4走者に勝負がもつれこむことが多くあります。そのため、最後のフィニッシュの体勢が勝負を分けるといっても過言ではありません。陸上競技では、選手の胴体部分がフィニッシュラインを超えることでゴールとみなされます。つまり、ゴール前では腕や手足を伸ばすのではなく、胸を張って前方に倒れ込むようにゴールすることが求められます。また、当然のことながら最後まで集中力を切らさずに走り抜けることも大切です。左右に選手の影が見えないからといって、ゴール前で気を抜くと、最後の最後で逆転されてしまうこともあります。チームメイトのつないだバトンを無駄にしないためにも、フィニッシュラインよりも先にゴールがあると想定して、減速せずに駆け抜けましょう。

Part 4

リレーの戦術

Part 4

リレーの戦術

星野監督に聞く戦術のトレンド

チームに一番求められているのは自由度の高い戦術と柔軟な対応力

レースごとに戦い方を変えられるチームが強い

——リレー競技で勝利を掴み取るためには、どのような戦術でレースに臨むのかも重要だと思います。最近はどのような戦い方をするチームが多いと感じますか

星野　かつては2走と4走にエースを配置するパターンがオーソドックスな戦術とされていました。ところが最近では、1走にチーム内でもっとも力のある選手（エース）を位置づけて、飛び出しからレースの主導権を握るスタイルが増えていると感じます。また、それと似たような形で1走から4走までタイムの速い順番に選手を配置するチームも多く見られます。

勝利を求めて各チームともに
戦い方を変えています

──いわゆる「先行逃げきり型」のチームが増えているのでしょうか

星野　その通りです。1走にエースを配置する、あるいは1走から速い順番に選手を並べた場合、最後に逃げきれるかどうかが勝負の鍵となります。実際にそういったレース展開が多い印象です。

──従来は「1走にエースを使うのはもったいない」という考え方の方が大きかったように思います

星野　そうですね。ただ、従来のスタンダードな走順を採用した場合、もし1走で出遅れてしまうと、後続の2走、3走、4走が焦ってしまうというデメリットがありました。選手が焦るとバトンミスに繋がったり、いつも通りの力を発揮することができません。そういったリスクを回避できる戦術だと考えます。また、現在はレース全体の流れに乗り遅れないことがもっとも大事だとされています。そう考えた場合、タイムの速い選手が前半を走る戦術を採用するチームが増えてきているのは必然だと言えるのではないでしょうか。もちろんチーム状況にもよるため、タイムいかんに関わらず、スタートダッシュが得意な選手を1走に固定するというチームもあります。

――このような新しい戦術を採用することで戦い方はどのように変わりましたか

星野　先ほども少し触れましたが、1走で飛び出すことができればレースを支配することが可能なので、続く2走から4走までの選手が自分の力を存分に発揮できるようになったと感じます。これは戦術のトレンドが変わったことによる大きなメリットだと言えるでしょう。しかし、エースを1走で使ってしまうので、最後の4走で逃げきれないケースも見られます。

――このような戦術がスタンダードになったきっかけがあるのでしょうか

星野　それは、近年の日本代表リレーチームの活躍を受けてのことだと思います。彼らの戦いぶりを自分たちのフィールドに置き換えてみたときに、やはり「勝利のためには1走で出遅れないことが重要である」と、感じたわけです。多田修平選手（住友電工）や山縣亮太選手（セイコー）の1走での戦いぶりは、私たちにも大きな影響を与えてくれました。

――戦術のトレンドが変わったことで、選手側も練習方法や意識などを変える必要がありますか

星野　戦術に柔軟性が求められるようになりましたから「どの区間でも走れる選手」を目指す必要性は増していると感じます。

極端な話ですが「自分は1走しか走らないから、バトンを受ける側の技術は練習しなくても良い」といった考えでは、選手に選ばれません。チームメンバーによって走る区間が変わる可能性もあります。ときには自分の利き足ではない方で構えなければいけないケースもあるでしょう。そのような中では、誰が相手であっても、どの区間であっても力を発揮するための心構えと準備が必要です。また、走順の采配を行なう側である監督やコーチにも、これまで以上に選手を見極める力が求められています。

柔軟な対応力が求められるバトンパス

――戦術のトレンドがアップデートされていく中でバトンパスの技術に変化はありましたか

星野　本書で紹介しているオーバーハンドパス（90ページ）と、アンダーハンドパス（94ページ）の2種類が主体であることに変わりはありません。あえてつけ加えるとすれば、チームで統一しなくても良いという考え方が定着してきたと言えます。例えば中央大学の現在のリレーメンバーは、1走から2走、2走から3走ではアンダーハンドでバトンを渡していますが、3走から4走ではオーバーハンドパスを採用しています。

――走者間でパスの仕方を変える理由はなんですか

星野　バトンを渡す側と受ける側で「どうしてもアンダーハンドがしっくりこない」であるとか、「オーバーハンドの方がスムーズに渡しやすい」といった話し合いを行ない、ミスなく確実に渡せるパスの仕方を選ぼうという結論に落ち着いたからです。オーバーハンドパスとアンダーハンドパスのどちらが良いのかといった一般的な評価を軸にはせず、誰がどの区間を走るかによってアンダーなのかオーバーなのかを変えています。区間ごとにバトンパスの種類を

変える戦術は、他の大学でも増えてきていると感じます。つまり走順も含めて、非常に自由度が高まり柔軟な対応力が求められていると言えるでしょう。

――相手によってバトンパスの方法を変えるとなると、どちらの渡し方もマスターする必要がありますね

星野　そのために日頃からバトンに触れ合う時間を大事にしています。ウォーミングアップ時に歩きながらバトンパスの練習をしたり、ジョギングしながらバトンパスの練習をしたりと、日常的にバトンと触れ合う時間を増やしているのです。従来、アンダーハンドパスは受け手と渡し手がギリギリまで近づかなければバトンを渡すことができない手法だとされていました。しかし最近ではオーバーハンドパスの間合いでアンダーハンドで渡すという、ハイブリッドタイプの渡し方を採用するチームも少なくありません。そういった、やや高いレベルのパスを得意とするチームも多く出てきているのです。

――こういった戦術の変化は中学生や高校生の年代においても見受けられますか

星野　そうですね。競技会で中・高生と一緒になることもありますが、自分たちが経験してきたものとは、少しやり方が変わってきていると感じます。バトンパスにしても、少し前までの中学生は、ほとんどのチームがオーバーハンドパスでレースを行なっていました。しかし最近ではアンダーハンドパスを採用するチームも見られます。また、高校生がバトン渡す際に行なう声かけの合図も変化しているようです。横並びで8チーム走るので、より自分のチームの合図が聞き分けやすいように工夫されていると感じます。その結果、中学生や高校生の記録もどんどん伸びており、大学生と肩を並べるレベルに達している高校生も出てきています。

――戦術面が柔軟になってきたことでボトムアップにもつながったのですね

星野　これまでは、いろいろな考え方が固定されていました。各区間に「こういうタイプの選手が適正である」という理想があったので、それに当てはめながら走順やメンバーを考えていた部分が大きかったと思います。ですが今は、「決まりはない」という前提のもとで、予選なら予選の戦い方を、決勝なら決勝の戦い方をするチームが増えています。自分たちが勝てる試合なのか、勝負を挑む試合なのかで戦術も変えているのです。そうなってくると、今まで通りの固定された考え方ではさまざまなレース展開に対応できません。だからこそ柔軟でより自由度の高い戦術が求められるのではないでしょうか。

リレーの戦術

バトンパスの種類

バトンパスのテクニックが勝敗を左右する

バトンパスの上達でタイムは大きく縮められる

バトンパスはリレーの最重要ポイントと言えます。それぞれの走者のタイムを縮めるのは簡単ではありませんが、バトンパスによって全体のタイムを縮めることは可能です。日本チームはこのバトンパスによって身体能力に優れた他国との差を埋めたと言っても良いでしょう。

バトンパスはオーバーハンドパスとアンダーハンドパスの2種類が主に使用されています。日本チームはオーバーハンドに近いアンダーハンドパスという独自の技術を駆使して、世界トップクラスの実力を保持しています。

バトンの種類

競技で使用されるバトンは主にアルミかスチールで作られている。直径は40ミリ（±２ミリ）、長さは280ミリ～300ミリ、重さは50グラム以上という規定がある

走者が重なりあいながらのバトンパスはスピードの減速が抑えられる

アンダーハンドパス

受け手はカラダに近い位置で手のひらを下に向けて待ち、渡し手は腕振りの延長線上で下から受け手の手のひらにバトンを差し出す

お互いに腕を伸ばすので、それだけ距離を稼ぐことができる

オーバーハンドパス

受け手は腕を後方に伸ばして手のひらを渡し手に向け、渡し手は受け手の手のひらに向かって押し込むようにバトンを差し出す

Part 4

リレーの戦術

オーバーハンドパスのテクニック①

肩の位置まで腕を上げることでスムーズな受け渡しが可能になる

腕の位置が下がってしまうと
スムーズにバトンを渡すことができない

利得距離を稼ぐことができミスも少ないオーバーハンド

オーバーハンドパスのメリットは、利得距離とバトンの渡しやすさにあります。利得距離とは受け手と渡し手が腕を伸ばしたときにできる両者の距離です。

利得距離が大きくなればなるほど、タイム短縮には効果があります。しかし、受け手は腕を伸ばしたまま片手だけを振って走る時間ができるため、スピードに乗りづらいというデメリットもあります。

バトンの受け渡しにおいては、受け手が手のひらを開いているところにバトンを押し込んでいくのでミスが少ないというメリットもあるでしょう。

肩の位置が上下すると
受け手の目標が定まらない

肩の位置まで腕を上げて固定する

バトンパスの成功率を上げるには、受け手が手のひらを固定すると良い。肩の位置まで腕を上げ、バトンを受け取るまでその手を動かさない

渡し手がマーカーを過ぎたら、
仲間を信じて振り返らずに走りきる

OK

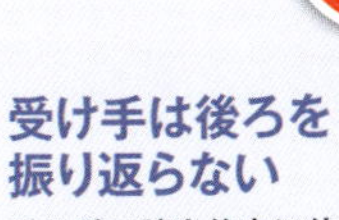

受け手は後ろを振り返らない

受け手は腕を後方に伸ばしながら全力で走る。後ろを振り返ったり距離を調整しようとすると、スピードが落ちてタイムロスになる

Part 4

コツ 36

リレーの戦術

オーバーハンドパスのテクニック②

渡し手はバトンを手のひらに押し込むイメージで渡す

正面にまっすぐ押し込むことで
確実にロスなく渡せる

渡し手はバトンを手のひらへ押し込む

オーバーハンドパスで気をつけなければならないのは、受け手と渡し手の距離です。お互いができる限り腕を伸ばして利得距離を稼ぎますが、両者の距離が接近しすぎてしまうと利得距離が少なくなってしまう上にミスも増え、タイムが落ちてしまいます。

オーバーハンドパスを成功させるためには、渡し手、受け手ともに細かな技術が必要です。受け手は親指を下にして手のひらを渡し手に向け、渡し手は受け手の手のひらに向けて押し込むようにしてバトンを差し出しましょう。

突き出すようなバトンパスはミスが多い

受け手の手のひらに向けて押し込むようにバトンを差し出すのが理想。突き出すような渡し方はミスが多くなる

渡し手はバトンを振り下ろさない

上から下へと振り下ろすようなバトンパスは、動作が大きく空振りなどのミスも多くなるので厳禁

リレーの戦術

アンダーハンドパスのテクニック①

受け手も渡し手もスピードにのったままバトンを渡す

腕振りの延長線上でバトンを受け渡すのでスピードが落ちづらい

スピードの落ちづらいアンダーハンドパス

アンダーハンドパスの特長は、走る動作に近いかたちでバトンパスができるところです。受け手は腰の後ろに手がくるように腕を下ろしているので、タイミングが合えば腕振りの延長線上でのバトンパスが可能になり、オーバーハンドに比べてスピードの減速が少なくてすみます。

現在バトンパスの主流がオーバーハンドであるのは、アンダーハンドが技術的にとても難しいからです。お互いの距離が近く、少しでもタイミングがずれると走者同士がぶつかってしまうので気をつけましょう。

タイミングが合わないと
お互いの距離が詰まりすぎてしまう

間合を見誤らないようにする

相手に接近するぶん、スピードを維持したままバトンパスを行なうことができる一方、お互いの距離感を見誤るとミスも生じやすい

一瞬にしてバトンを渡すことが
できるのが最大のメリット

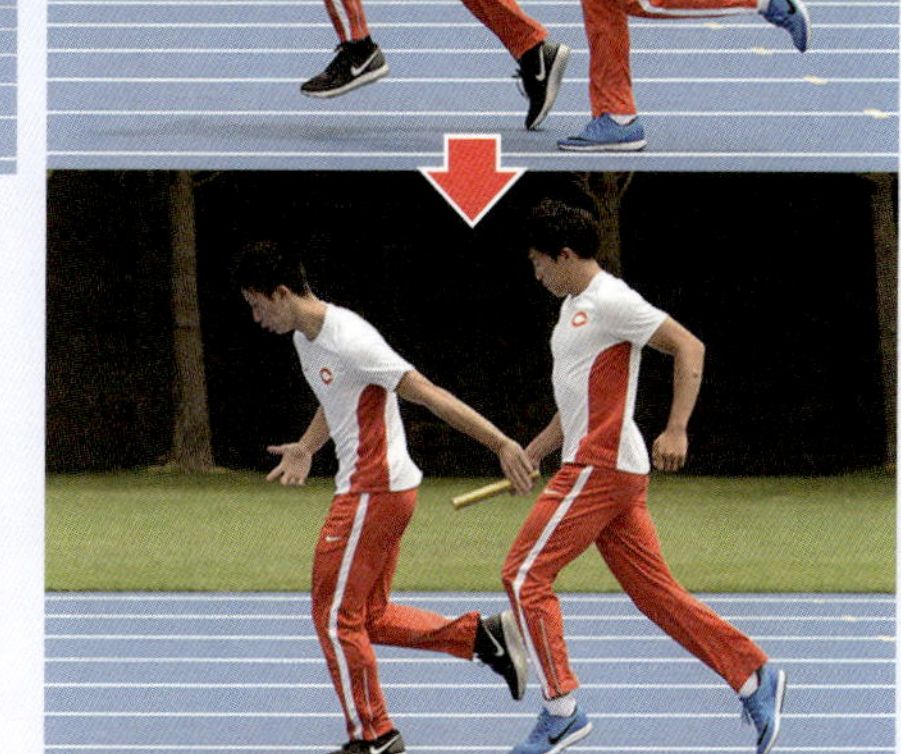

腕振りの延長線上で渡す

受け手は腰の後ろに手がくるように腕を下ろして待つ。腕振りの延長線上で一瞬にしてバトンが渡せるので、スピードが落ちづらい

Part 4

コツ 38

リレーの戦術

アンダーハンドパスのテクニック②

手のひらを下に向けて渡し手と握手をするように受ける

親指をしっかりと下に向けて
バトンを握りやすいかたちをつくる

渡し手は下から上にバトンを押し込んでいく

アンダーハンドパスを成功させるには、受け手、渡し手ともに高い技術が必要になります。

受け手は腰の後ろに手がくるように腕を下ろしましょう。親指と人差し指を開き、バトンが受け取りやすいかたちで待ちます。渡し手は受け手がつくったV字に向かって、腕振りの延長線上で下から上にバトンを差し入れていきます。

渡し手はバトンの下側を持ち、受け手と握手をするようにしてバトンを差し出すと、つかみ損ないなどのミスを防ぐことが可能です。

受け手は親指を下に向ける

受け手は親指と人差し指をしっかりと広げ、大きなV字をつくる。腕振りの延長線上で受け取れるように、親指は下に向けておく

受け手の親指と人差し指の間に
バトンがはまるように渡す

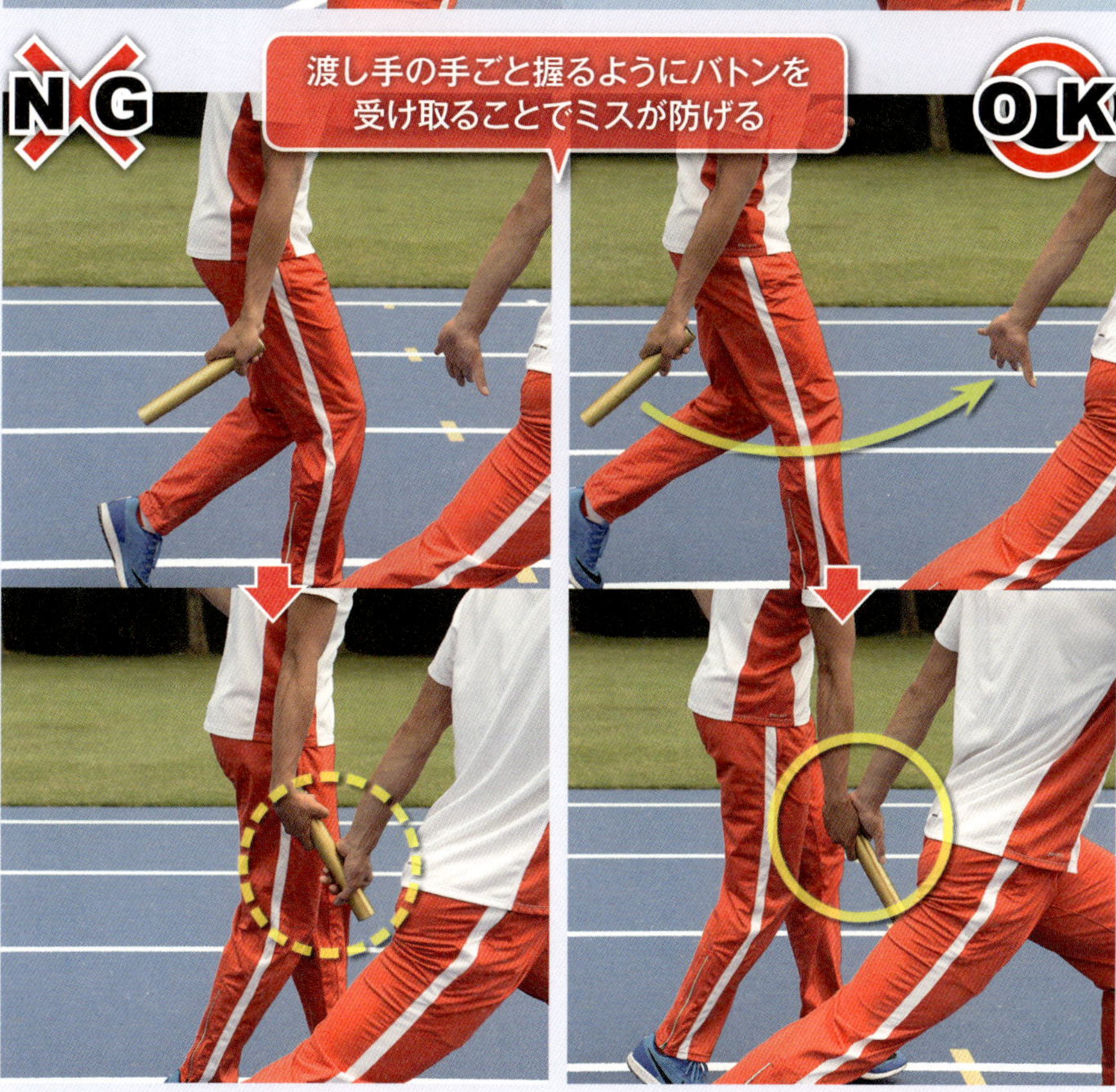
NG
渡し手の手ごと握るようにバトンを
受け取ることでミスが防げる
OK

バトンの真ん中を握らない

渡し手はバトンの下側を持ってバトンパスを行なう。受け手がバトンの真ん中を持とうとすると落下などのミスが起きるので、両者が握手をするような感覚で受け渡すと良い

Part 4

リレーの戦術

マーカーの置き方

バトンパスを成功させるためにはマーカー位置が重要

トラックや風の状況を見て
マーカーを貼る位置を相談しよう

マーカーを目安にして走り出すタイミングを図る

リレーのバトンパスでは、受け手は後方を振り返ることなく全力で走ります。そのとき走り出しのタイミングを教えてくれるのが、レーンに貼ったマーカーです。

コンマ数秒というタイムを競うリレーにおいて、走り出しのタイミングは非常に重要です。少しでもタイミングがズレればバトンパスが乱れ、大きなロスにつながります。

マークを置く場所は練習を重ねるなかで判断するものですが、25足長～30足長がおおよその目安となります。

マーカーを貼る際の規則

マーカーは最大50ミリ×400ミリのテープを1カ所、自らのレーン内に貼ることが許されている

歩幅を基準にして
マーカーを貼る位置を決める

スタート位置に立ったら、走者ではなく
マーカーの位置をチェックする

マーカーを通り過ぎる瞬間にスタート

受け手は渡し手がマーカーを通り過ぎた瞬間にスタートを切り、そこからは後ろを振り向かず全力で走る。確実にバトンパスができるように、マーカーの位置を調整しよう

コツ 40

リレーの戦術

バトンパスの失敗を防ぐ

受け渡しのタイミングがズレないようにマーカーの位置を確認する

受け手と渡し手の信頼関係がすべて！
普段の練習から意思疎通を図ろう

マーカーの位置と走り出しのタイミングに注意

バトンパスの失敗例として多いのが、受け手のスタートが早く渡し手が追いつけないというパターンです。これは、マーカーの位置が間違っていたり、渡し手がマーカーを通り過ぎる前にスタートを切ってしまったりすることで起こります。

もう一つミスとして多いのは、両者の距離が極端に詰まってしまうというものです。とくにオーバーハンドパスでは、距離が詰まるとパスの瞬間にバトンをはじいて落としてしまうこともあります。マーカーの位置、走り出しのタイミングには細心の注意を払いましょう。

テイク・オーバー・ゾーン内で受け渡しをする

リレーでは、バトンの受け渡しはテイク・オーバー・ゾーン内で行なうと決められている。ゾーン内でバトンに触れなければ失格となる

合図のタイミングで手を上げる

受け手は手を下げた状態で待ち、渡し手の合図で後方に腕を伸ばす。声をかけるタイミングなど、しっかりと意思疎通を図っておくことでパスミスを未然に防げる

もっとも避けたいのはバトンが渡らないこと。あらかじめ声かけ内容を決めておこう
はい!!

リレーの戦術

バトンパス上達のコツ

渡し手は「受けやすく」受け手は「渡しやすく」を意識する

お互いが相手を思いやる意識を持つことで
確実にバトンがつながる

受け手は渡し手を信じて全力で走る

バトンパスを上達させる上で大事なポイントは、確実に渡すこととタイムロスを減らすことの二点です。

バトンパスの成功率を高めるためには、渡し手が受け手の手のひらにバトンを確実に押し込むことが重要となります。受け手が取りにくくなる状況をつくらないようにしましょう。

タイムロスを減らすには、受け手がスピードを落とさないことです。渡し手を信じて全力で走るには、日ごろの練習でお互いを信じ切れる信頼関係をつくっておくことも大切だと言えます。

メンバーが変わればその都度マーカーの位置も変わる。
ベストな位置を研究しよう

お互いの間合を把握する

受け手がスピードを落とさず全力で走るためには、渡し手との間合をしっかりと把握しておく必要がある。渡し手も受け手が走りやすい位置でバトンを渡すように心がける

手のひらにバトンを押し込む意識を
持つと落とす可能性がグッと減る

オーバーハンドパスの場合

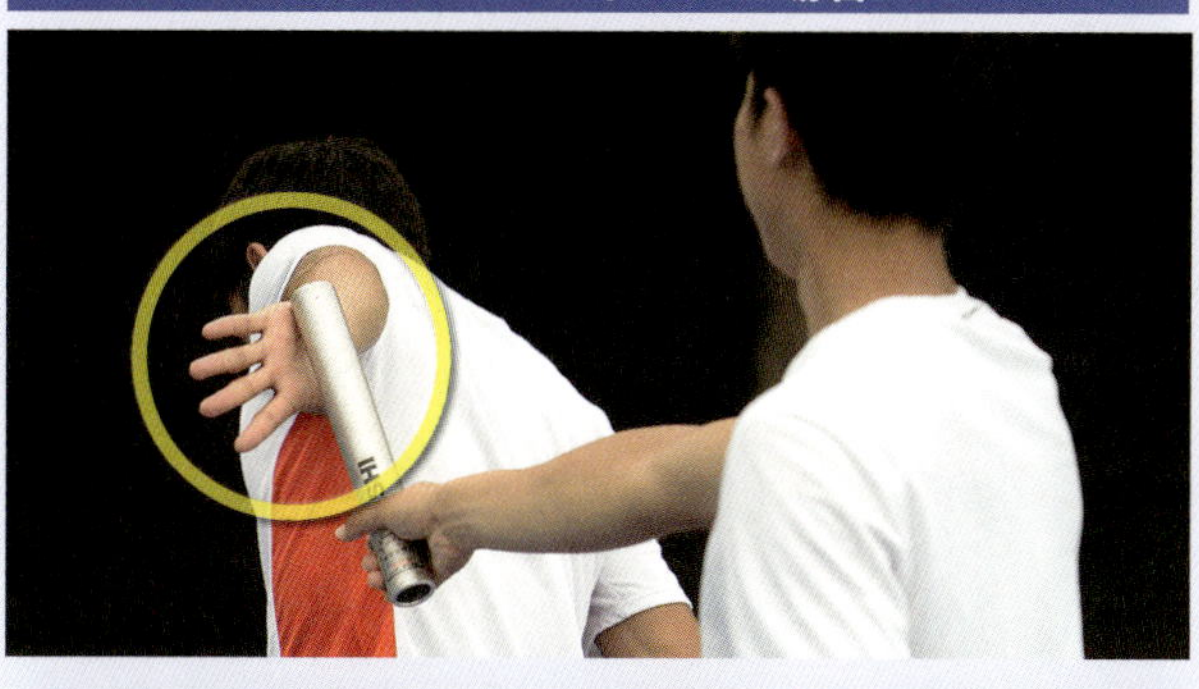

アンダーハンドパスの場合

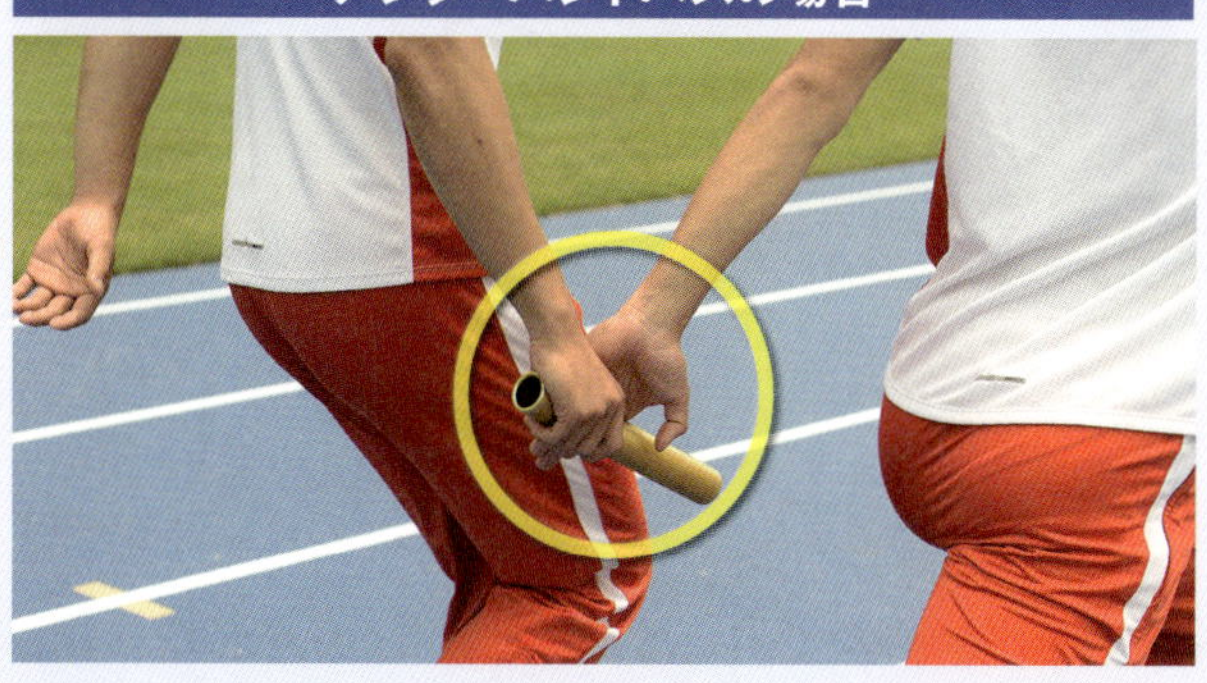

バトンはまっすぐ押し込む

渡し手はバトンの出し方に細心の注意を払う。バトンが斜めになっていたり、突き出すような出し方は受け手がキャッチしづらい

バトンパスドリル①

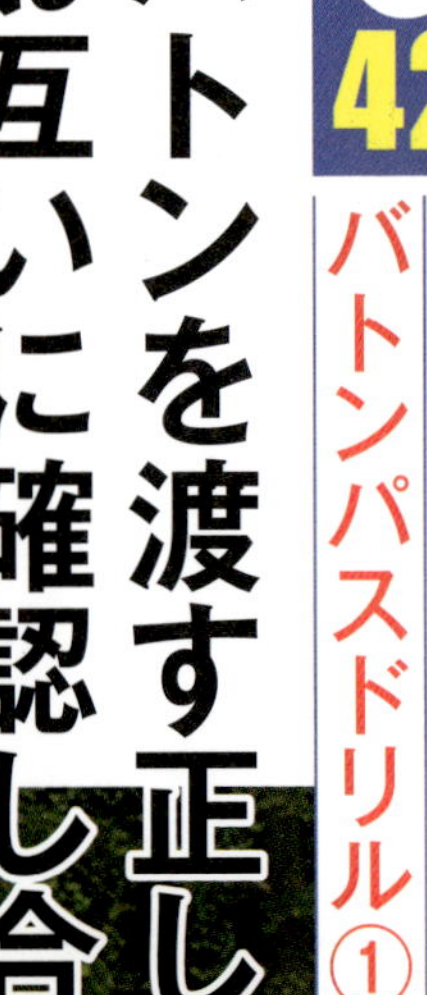

バトンを渡す正しい位置と姿勢をお互いに確認し合う

その場でのバトン渡しでバトンの感覚に慣れる

バトンパスの練習は、段階的にスピードを上げていくのが効果的だと思います。

リレーをはじめたばかりの初心者は、まずバトンに慣れることが先決です。その場で等間隔に並び、走らず腕振りだけでバトンの受け渡しを行なってみましょう。バトンは考えているよりも重くて太く、サラサラしています。確実にバトンをつなげるように、本番さながらの意識で行なうことが大切です。

バトンの感覚に慣れたら、次はジョギングをしながら練習をします。受け手は手の位置がブレないように注意しましょう。

受け手も渡し手も基本を確認しながら、
確実にバトンが渡るように意識する

ドリル①
その場でバトン渡し

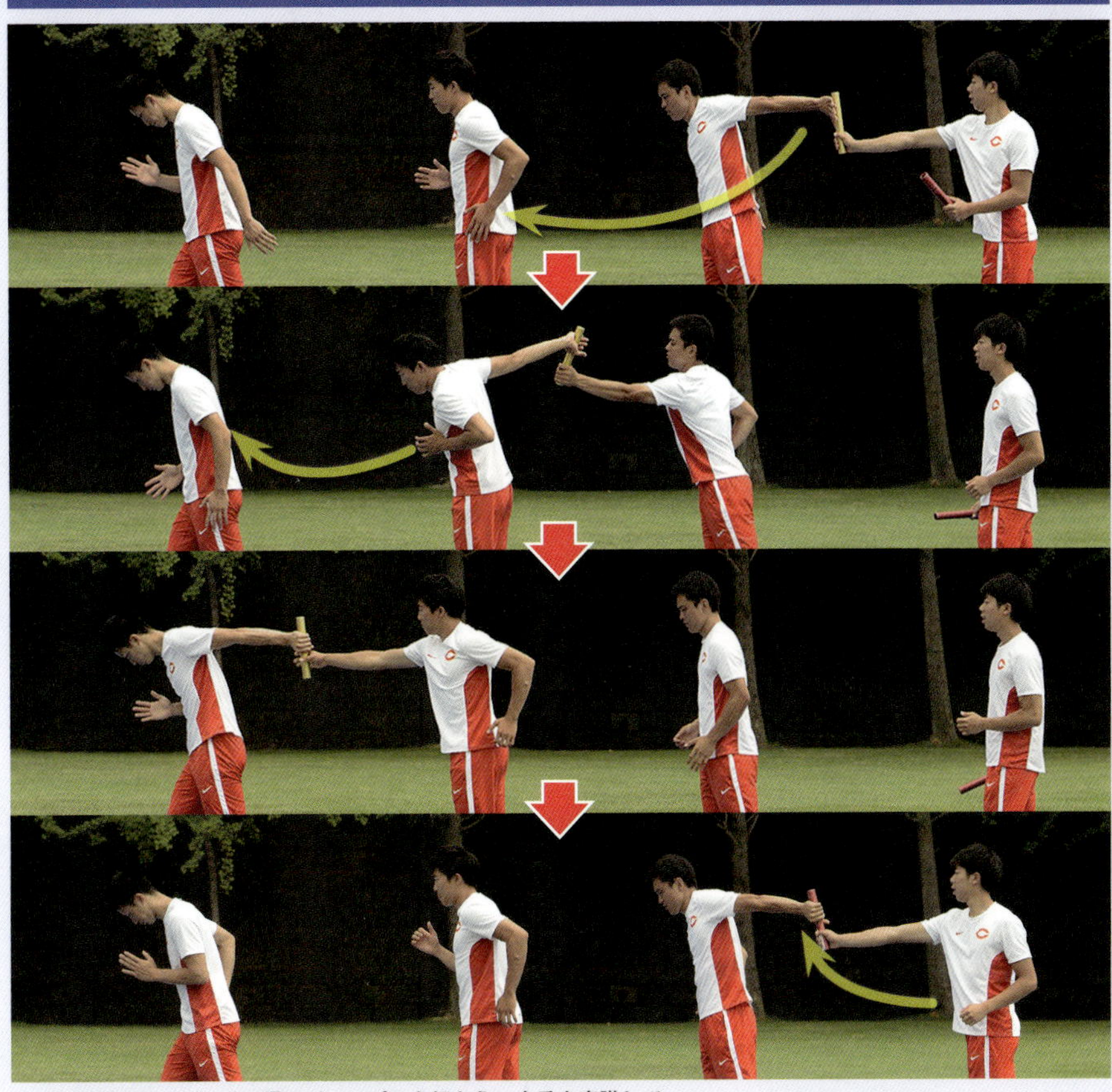

４人が等間隔に並び、その場でバトンパスを行なう。本番を意識して、お互いのカラダがぶつからないように位置を少しずらしておく

ココがポイント！

手を伸ばして距離をできるだけ稼ぐ

受け手も渡し手も腕をまっすぐに伸ばした位置でバトンを渡すことで、利得距離を稼げる。ドリルを行なってお互いの距離感をカラダに覚えさせせよう

リレーの戦術

バトンパスドリル②・③

走りながらのバトンパスでパスのタイミングをつかむ

実戦さながらの状況で加速しながらパスをする

バトンジョグでバトンパスの流れを理解したら、次はもう一段階スピードを上げてみましょう。4人の間隔をさらに開き、加速しながらパスをしていきます。このときもバトンジョグと同じように、確実にバトンの受け渡しをすることがポイントです。

ここまでできるようになったら、最後は実戦に近いかたちでバトンパスの練習をします。走る距離を短く区切り、全速力で走るなかでバトンパスを行ないましょう。いろんな走順でバトンパスの練習をするのも効果的です。

お互いの距離が詰まりすぎないように
注意しながらリズミカルにバトンを渡す

ドリル②
バトンジョグ

４人が等間隔に並び、ジョギングをしながらバトンパスの練習をする。受け手はしっかりと手の位置を固定し、渡し手は手のひらにむかってバトンを押し込んでいく

ドリル③
バトン流し

バトンジョグと同様に４人が等間隔に並び、やや加速しながらバトンパスの練習をする。距離が詰まったり、逆に、バトンが渡らないほど距離が離れないように注意しながら行なう

Part 4

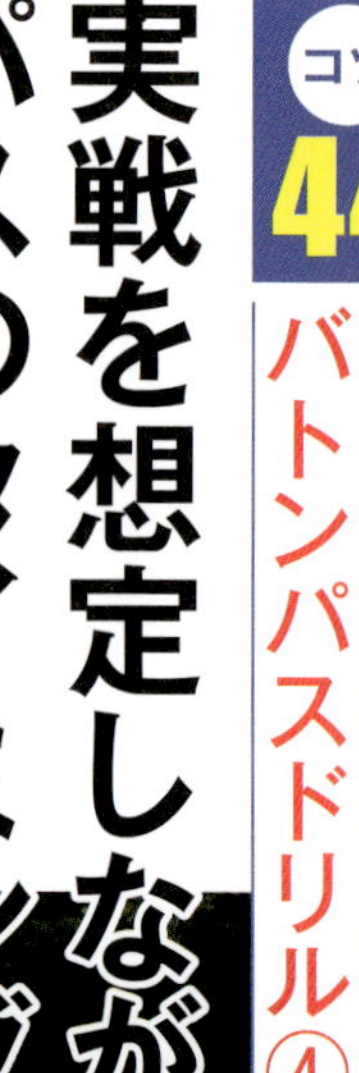

リレーの戦術
バトンパスドリル④

実戦を想定しながら行ないパスのタイミングやズレを調整する

テイク・オーバー・ゾーンでバトンパスを練習

バトンパス練習の仕上げとして、それぞれの区間で区切って実戦さながらに行なうバトン合わせという練習があります。

バトン合わせは実際のテイク・オーバー・ゾーン内で行なうので、マーカーや歩幅の位置などを確認することが可能になります。バトン合わせで素早く確実なバトンパスができていれば、本番に自信を持って臨むことができるでしょう。

バトン合わせでは1〜4走それぞれの走順を固定せず、すべての走順でバトンパスを経験するのがおすすめです。

実際に加速しながら行なうパス練習は課題も見つかりやすい。必ず取り組みたい練習だ

ドリル④
バトン合わせ

1走から2走

距離を短く区切り、実戦に近い状況でバトンパスをする。
マーカーの位置、走る歩幅なども意識しよう

3走から4走

2走から3走

走順を固定しない

練習のなかでは走順を固定せず、1～4走まですべての走順を経験しておくと良い。慣れない走順で練習しておくことで新たな発見が生まれたり、不測の事態にも対応できるようになる

Part 4

リレーの戦術

走順ごとの走る位置

走順によって走る位置を変えることでタイムロスを防ぐ

走る位置にまで気を配ると
バトンパスでのロスを減らすことができる

レーン内での位置どりを考えてロスなくバトンパスを行なう

4×100メートルを例にとると、第1走者から第4走者まで、それぞれレーン内での走る位置が異なります。

第1走者と第3走者はほとんどがカーブ走のため、つねに内側を攻め続けながら走ります。第3走者はレーンの内側で走者を待ち、右手でバトンを受け取りましょう。

第2走者と第4走者はカーブの終わりでバトンを受け取りますが、左手でバトンを受け取るのでレーンの外側で待ちます。バトン受け取り後は遠心力を使って飛び出し、加速して直線を迎えるのです。

第3走者はレーンの内側で待つ

第２走者は左手でバトンを持ちながら走ってくる。レーンの内側で待っていれば、外側を走ってくる第２走者とロスなく受け渡しを行なえる

バトンを受けたら内側を攻め続けながら走ることでカーブを効率良く抜けられる

第2・第4走者はレーンの外側で待つ

第１走者と第３走者は右手でバトンを持って走ってくる。カーブでレーンの内側を走ってくる走者に対し、レーンの外側で待っていれば無駄のないバトンパスが可能になる

第2・4走者はバトンを受けたら遠心力をうまく利用して膨らみながらカーブを抜ける

Part 4

コツ
46

リレーの戦術

走順ごとの特徴 ―第1走―

インパクトのあるスタートで他のチームにプレッシャーを与えられる選手

スタートでは一歩目を
大きく踏み出す
カーブを
直線的に走る
出遅れない
高い集中力

第1走者の特徴

こんな選手にピッタリ！

・スタートダッシュに長けている
・コーナーワークに優れている
・レースの流れをつくることができる

第1走者が高めたい技術

・リアクション能力
・スムーズなコーナリング
・最後までピッチを維持できる能力

走順ごとの特徴—第2走—

長い直線をトップスピードで駆け抜けられる選手

カーブに
鋭く切れ込む
レーンの
外側を走る
直線では
トップスピードを維持

第2走者の特徴

こんな選手にピッタリ!

・スピードの絶対値が高い
・バトンを受けてからの加速が上手い
・長い距離でトップスピードを維持できる

第2走者が高めたい技術

・直線を速く走るスプリント能力
・加速しながらのバトンパス
・最後までスピードを維持できる持久力

Part 4

コツ
48

リレーの戦術

走順ごとの特徴―第3走―

スピード能力が高くロスなくコーナーを立ち回れる選手

コーナーで
カラダを内傾させる
レーンの内側
ギリギリを走る
チームの良い流れを
アンカーへつなぐ

第3走者の特徴

こんな選手にピッタリ！

・スタンディングからのコーナーが得意
・コーナリングが抜群に上手い
・どんな順位でも焦らず自分の走りができる

第3走者が高めたい技術

・スタンディングスタートの技術
・ロスのないカービング
・最後までピッチを維持できる能力

走順ごとの特徴―第4走―

直線の競り合いに強くフィニッシュ技術の上手い選手

直線に入る直前で
一気に加速
競り勝つ
勝負強さが大切！
ゴールの瞬間まで
気を抜かない

第4走者に求められるテクニック

こんな選手にピッタリ！

・スピードの絶対値が高い
・直線の競り合いに強い
・フィニッシュ技術が上手い

第4走者が高めたい技術

・直線を速く走るスプリント能力
・競り合いに勝ちきるメンタル
・最後の勝負を決めるフィニッシュの技術

リレーの戦術

４×４００メートルリレー

４×１００の総合的な技術が必要とされる４×４００メートルリレー

トラックを一周するため全走者ともに
コーナリングの技術を身につけよう

第1走者はセパレート 第2走者からオープンレーン

４×１００メートルのほかに、トラックを一人1周走る４×４００メートルもオリンピック種目として採用されています。４×４００メートルは４００メートル走を主戦場としている選手がエントリーされることが多いですが、昨今ではスピードの絶対値が高い２００メートル走の選手もエントリーされるようになってきています。

走り方のポイントは４×１００メートルの走り方を総合したものですが、コーナーでは内側から外側に向かって、遠心力を利用しながら直線を迎えましょう。

男女混合リレーが東京五輪で正式種目に！

2021年に開催された東京オリンピックでは、男性２名、女性２名による男女混合４×400メートルリレーが正式採用された

コーナーを抜けるときは遠心力を利用して内側から外側へ抜ける

4×100メートルのポイントを総合

第１走者のスタート方法や、第３走者のコーナーリングなど、一人ですべてをまかなうのが４×400メートルの特徴。とくにコーナーでは、遠心力を使ってアウトに膨らみながら直線を迎えると良い

4×400ではサイドハンドパスを採用することも。ミスをしないことが一番大切

バトンパスは確実に受け渡す

４×100メートルと違い、トラック一周を走りきった選手のスピードは、かなり落ちている。受け手は一気に加速せず、少しスタートタイミングを遅らせるくらいがちょうど良い

バトンパスは第2走者からオープンレーンとなるため、接触などのリスクを避けるためにも、加速よりも確実な受け渡しに重きを置いてください。

特別コラム

選手・指導者・保護者が知っておきたい

トップを目指すために各年代で養うべき「力」

世界のトップで戦えるアスリートを目指すのであれば、
選手自身の発達や発育に適した練習を行なうことが必要不可欠です。
各年代でどのような力を養っていくべきか解説します。

「楽しむ力」

走る・跳ぶ・投げるといった陸上の基本動作をとにかく楽しむ時期

勝った負けたではなく カラダを動かす楽しさを優先

小学生の間は、陸上をとにかく心の底から楽しむことが大事です。陸上の面白さを感じ、好奇心を持ちながら基礎を身につけることで、将来活躍できる選手に一歩近づけます。

具体的には「走る」「跳ぶ」「投げる」という陸上競技の基本となる動作を、ときには遊びながらチャレンジすることがポイントです。

大会で「勝った」「負けた」と勝負にこだわるのではなく、「こんなことができるようになった」「前よりも高く跳べるようになった」といった成功体験を積み重ねていくと良いでしょう。

いろんなことができるようになる楽しさを、陸上を通じて実感してほしいと思います。

中学生
(13歳〜15歳)

探究する力

いろいろな種目に挑戦して自分の適正を見極める

陸上を知ることが技術の向上にもつながる

中学生になると、競技会などで、はじめて勝ち負けを知ることになります。しかし、この年代から勝敗にこだわりすぎるのは避けたいものです。陸上の知識を深めながら、いろいろな種目にチャレンジして、どの種目が自分に向いているのかを模索する期間だと考えましょう。また、発育・発達段階にあるこの時期は、たとえ同じ学年であっても4月生まれと3月生まれとでは、かなりの体格差があります。そのため専門的なトレーニングに取り組むことよりも、陸上に触れる時間を増やしていくことが重要です。トレーニングを行なう際は、自分のカラダを使う自重トレーニングや、バランス感覚を養うドリルを行なうと良いでしょう。

高校生
（16歳～18歳）

「向上心を維持する力」

結果を求めて専門的なトレーニングに取り組み始める時期

カラダを休ませることも練習の一つ

高校生の年代では、より専門的に陸上に取り組むことを、おすすめします。自身の技術レベルや得意・不得意も考慮しながら種目選択を行ないましょう。また、カラダができあがってくる時期なので、身体的な特徴に合わせた種目を選択することもポイントです。

さらにウエイトトレーニングといった、自重を超える負荷をかけたトレーニングを導入しても良い時期だと言えます。ただし、オーバーワークには注意してください。この時期は、つい過度なトレーニングを行ないがちです。練習を積むほど技術は向上すると言えますが、カラダを回復させるのも練習の一つです。しっかり休息を取ることも意識してください。

調整力

目指すゴールに合わせて自分に必要なものを見つけながら練習する時期

自分の調子をコントロールする力

大学生以降の年代は、自身の目標に向かってパフォーマンス力をどこまで上げられるかがポイントになります。

インカレでの活躍が目標なのか、はたまたオリンピックの出場を目指すのか。それぞれの目標を達成するためには、なにが一番必要なのかを見つけていく作業が重要です。そして目指すべきゴールを設定したら逆算してトレーニング計画を立ててください。それに則って日々の練習に取り組みましょう。また、この年代では調整力も求められます。中学生や高校生のころとは違い、大学生になると「いつでも絶好調」というわけにはいきません。自分の調子を自分でコントロールできる力が必要なのです。

MESSAGE

選手の成長を支えるためには選手中心で物事を考えることが大切

選手が競技レベルだけにとどまらず、人間的にも成長していくためには、選手中心で物事を考えて声かけを行なうことが、もっとも大切です。

これは陸上競技だけでなく、アスリートを指導する立場の人間は、つねに意識しなければならないことでしょう。指導者が満足するためだけの指導をしているようでは、当然のことながら選手の成長を支えることはできません。

陸上競技は、ほかの競技と比べて専門化するタイミングが比較的遅いと言えます。ご存知のとおり、10代でピークを迎えるような競技ではなく20代、30代になってから華開くスポーツでもあるのです。

それを踏まえると、やはり成長段階ではあまり専門的なことには取り組まず、カラダが成熟するタイミングでより専門的に極めていくイメージで指導することが重要だと考えます。そうでなければ、怪我をしたりモチベーションを維持できなかったり、競技自体を継続することができないからです。

年代に合わないトレーニングを行ない、カラダに大きな負担をかけながら小学生の全国チャンピオンになったとしても、果たして選手は、その後どうなっていくでしょうか。指導者は、ある一瞬の喜びだけでなく将来にまで目を向ける必要があります。

将来に向けた成長を支える役割を担っている以上、間違っても「強くしてやっているんだ」などということは思って欲しくありません。つねに選手中心で考え、見守り、支えてほしいと思います。

知っておきたい リレー競技用語集

あ

【アンダーハンドパス】

バトンパスの一つ。受け手が腰あたりで手のひらを構え、渡し手が下からすくい上げるようにしてパスを行なう。速度が落ちにくいというメリットがある

【一次加速】

100メートル走の場合、スタートを切ってから30メートルくらいまでのこと。カラダを深く前傾したままスピードを上げていく

【オーダー】

走順のこと

【オーバーハンドパス】

バトンパスの一つ。受け手が腕を後方に伸ばして手のひらを差し出し、渡し手はその手のひらに向かって押し込むようにしてパスを行なう。利得距離が稼げるというメリットがある

【オープンレーン】

主にトラックで行なわれる中・長距離走において、レースの途中からどのレーンを走っても良くなること

か

【クラウチングスタート】

主に短距離走において、前屈みの姿勢から跳び出すようにしてスタートする方法

【肩甲骨】

背中の両側にある、肩と腕をつなぐ三角形の骨のこと

さ

【ジョギング】

通称ジョグ。リラックスをして、無理のないスピードで走ること

【推進力】

移動する方向にカラダを推し進める力のこと

【スターティングブロック】

通称スタブロ。主に短距離走でクラウチングスタート時に使う用具

【スタンディングスタート】

主に中・長距離走において、立った状態からスタートする方法

【ストライド】

主に歩幅のことを指す。片足で蹴り出して、もう一方の足が接地するまでの距離を言う

【スプリント】

短距離走のこと

【速度てい減】

100メートル走の場合、80メートルを超えてからフィニッシュまでのこと。必ずスピードが落ちる区間なので、ピッチを維持して速度低下を防ぐ

た

【短距離走】

距離が400メートル以下の種目の総称。100メートル、200メートル、400メートルがある

【中間疾走】

100メートル走の場合、60メートルから80メートルくらいまでのこと。スピードは最高点に達しているので、できるだけ長くトップスピードを維持する

【中距離走】

短距離走と長距離走の間の距離を走る種目の

総称。800メートルと1500メートルがある

【長距離走】

1500メートルを超える距離の種目の総称。5000メートル、10000メートル、マラソンなどがある

【テイク・オーバー・ゾーン】

バトンの中継区間のこと

【トラック】

1周400メートルの走路のこと

【ドリル】

技術を習得するための反復練習

な

【内傾】

カーブを走る際に、カラダを内側に傾けることを指す

【二次加速】

100メートル走の場合、30メートルから60メートルくらいまでのこと。深い前傾から徐々にカラダを起こしていき、一次加速時よりもさらにスピードを上げていく。60メートル付近でトップスピードに達する

は

【バトン】

リレー競技で使用される、走者が持って走る短い棒

【反発力】

足裏で地面を踏んだときに生まれる、地面から受ける力

【ピッチ】

足の回転数のこと

【フィニッシュ】

ゴールする瞬間のこと。胴体部分がフィニッシュラインを通過してフィニッシュと認められる

【フライングスタート】

正しいスタートタイミングより早いタイミングでスタートを切ると、フライングスタートとなり失格と判定される。クラウチングスタートの場合は、静止状態からスタートの合図までにカラダが動いてもフライングとなる

【ブロッキング】

関節を固定して、地面から受ける反発力を最大限に活用する技術のこと

ま

【マイル】

4×400メートルリレーの略称

【マーカー】

リレーで使用する、バトンパスの際に受け手が走り出すタイミングをはかる目印のこと

や

【4継】

4×100メートルリレーの略称

ら

【ラダー】

敏捷性や巧緻性、バランス感覚などをやしなうトレーニングで使用する縄ばしご

【リアクション】

主に短距離走でのスタート時の反応のこと

【利得距離】

バトンパスの際に、選手が走らずにすむ距離のこと。例えばオーバーハンドパスの場合、受け手が後方に腕を伸ばした距離と、渡し手がバトンを差し出した距離は利得距離となる

【レーン】

トラック上の走路のこと

監修

星野 晃志（ほしの・こうじ）
中央大学陸上競技部監督

1979年生まれ、千葉県佐倉市出身。成田高校から中央大学に進学し、400メートルハードルの選手として活躍する。大学卒業後は中央大学職員として母校に残り、陸上競技部コーチを務める。2014年より同陸上競技部監督として現在に至る。（公財）日本オリンピック委員会強化スタッフ、（公財）日本陸上競技連盟強化委員会委員、関東学生陸上競技連盟評議員などを歴任する

撮影協力

中央大学陸上競技部

短距離・跳躍・投擲ブロックと長距離(駅伝)ブロックに分かれ、陸上競技部として世界を目指して頑張っている。大会の際にはどこよりも個性的な応援で選手を後押しするのが特徴。授業の合間など時間を有効に使って練習を行ない、勉学との両立を実践している。速く・高く・遠くを目指して限界に挑み続ける

撮影モデル

室谷 翔太郎
(むろや・しょうたろう)
中央大学陸上競技部

北海道栄高(北海道)出身
◎ベスト記録
100m：10.55
200m：21.89

竹田 一平
(たけだ・いっぺい)
中央大学陸上競技部

不動岡高(埼玉)出身
◎ベスト記録
100m：10.27
200m：21.52

染谷 佳大
(そめや・よしひろ)
中央大学陸上競技部

つくば秀英高(茨城)出身
◎ベスト記録
100m：10.38
200m：20.65

大久保 公彦
(おおくぼ・きみひこ)
中央大学陸上競技部

荏田高(神奈川)出身
◎ベスト記録
100m：10.53
200m：21.48

STAFF
●編集・取材・構成／株式会社多聞堂
●写真撮影／窪田正仁
●執筆協力／平木貫之
●デザイン／田中図案室
●イラスト／楢崎義信
●写真提供／「中大スポーツ」新聞部

テクニックと戦術で勝つ！
陸上競技　リレー　増補改訂版

2022年12月25日　　第1版・第1刷発行

監修者　星野　晃志（ほしの　こうじ）
発行者　株式会社メイツユニバーサルコンテンツ
　　　　代表者　大羽　孝志
　　　　〒102-0093 東京都千代田区平河町一丁目1-8
印　刷　三松堂株式会社

ご意見・ご感想はホームページから承っております。
ウェブサイト　https://www.mates-publishing.co.jp/

編集長：堀明研斗　企画担当：堀明研斗

※本書は2018年発行の『テクニックと戦術で勝つ！陸上競技　リレー』を元に、一部内容の追加と必要な情報の確認を行い、「増補改訂版」として新たに発行したものです。